Rolf Brüseke

Deutsch
Grammatik leicht A2

GRAMMAR AND PRACTICE

Hueber Verlag

| 3. | 2. | 1. | | Die letzten Ziffern |
| 2022 | 21 | 20 | 19 | 18 | bezeichnen Zahl und Jahr des Druckes. |

Alle Drucke dieser Auflage können, da unverändert, nebeneinander benutzt werden.
1. Auflage
© 2018 Hueber Verlag GmbH & Co. KG, München, Deutschland
Umschlaggestaltung: Sieveking · Agentur für Kommunikation, München
Zeichnungen: Maike Hettinger, Stuttgart, Gisela Specht, Weßling
Layout und Satz: Sieveking · Agentur für Kommunikation, München
Verlagsredaktion: Sonja Ott-Dörfer und Katharina Zurek, Hueber Verlag, München
Druck und Bindung: Firmengruppe APPL, aprinta druck GmbH, Wemding
Printed in Germany
ISBN 978–3–19–021721–2

Art. 530_24779_001_01

Inhalt

Preface

Grammatik leicht A2 is ideal for learners of German at level A2 and covers all the topics required by the new *Goethe-Zertifikat A2*.

Grammatik leicht A2 can be used by German language students as a practice and reference book no matter whether the students are living in a German-speaking country or abroad. Since the book includes a full answer key it is the perfect choice for self-study. But it is also very suitable for work in the classroom.

Grammatik leicht A2 aims at simplicity, clarity and accuracy. The grammar tables are concise and clearly structured and the language used for rules is easy to understand. The vocabulary used in the exercises is elementary, so students know the words and can really focus on practicing grammar.

Grammatik leicht A2 is divided into 8 units and covers 54 topics. Each topic is presented on a double-page spread which is subdivided into:

- *Entdecken:* short enjoyable text + grammar tables + grammar rules
- *Üben:* exercises for each grammar item presented.

We wish you every success with your studies and hope you enjoy learning German with *Grammatik leicht A2*.

Author and publisher

Vorwort

Grammatik leicht A2 wendet sich an Lernende auf Niveaustufe A2 und deckt alle Themen ab, die das aktuelle *Goethe-Zertifikat A2* verlangt.

Grammatik leicht A2 ist ein Nachschlage- und Übungsbuch für Lernende im In- und Ausland. Das Buch eignet sich für Selbstlerner, es enthält einen kompletten Lösungsschlüssel im Anhang. Es kann aber auch sehr gut für die Arbeit in Deutschkursen verwendet werden.

Grammatik leicht A2 ist ausgesprochen einfach, klar und präzise: Die Grammatiktabellen sind übersichtlich und einprägsam und die Regeln sind in einer sehr leichten und gut verständlichen Sprache gehalten. Der in den Übungen verwendete Wortschatz entspricht dem A2-Wortschatz, sodass die Lernenden die Wörter kennen und sich ganz auf das Üben der Grammatik konzentrieren können.

Das Übungsbuch besteht aus 8 Kapiteln und deckt 54 Grammatikthemen ab. Jedes Thema wird auf einer Doppelseite präsentiert. Die Doppelseite ist wiederum unterteilt in

- *Entdecken* = kurzer einprägsamer Text + Grammatiktabelle + kurze Erläuterungen
- *Üben* = Übungen zu jedem Aspekt der dargestellten Grammatik.

Wir wünschen Ihnen viel Spaß beim Deutschlernen mit *Grammatik leicht A2*!

Autor und Verlag

1 Ich habe das Zimmer aufgeräumt.

Perfekt: trennbare Verben

A Lesen Sie und unterstreichen Sie die Verben.

Aber Mama, ich habe es gestern schon aufgeräumt.

Maria, räum bitte das Zimmer auf!

B Lesen Sie A noch einmal und ergänzen Sie.

		2		Ende
Präsens		Räum	das Zimmer	auf!
Perfekt	Ich	_____	das Zimmer gestern	_____ .
Präsens	Er	steigt	am Potsdamer Platz	ein.
Perfekt	Er	ist	am Potsdamer Platz	eingestiegen.

haben / sein + Partizip Perfekt			
Sie	hat	das Zimmer	aufgeräumt.
Er	hat	heute bei uns	angefangen.
Sie	ist	gerade	eingestiegen.

Infinitiv	→	Partizip Perfekt
auf räumen	→	aufgeräumt
an fangen	→	angefangen
ein steigen	→	eingestiegen

Read about the use of separable verbs when referring to the past.
* When speaking, we often use *Perfekt: Ich habe das Zimmer aufgeräumt.*
* The past participle is formed with a *ge* which is positioned after the prefix (*ab-, an-, auf-* ...).

1 Trennen Sie das Präfix ab.

an↓fangen | zu hören | an sehen | ein schlafen | aus füllen | kennen lernen

2 Lesen Sie und unterstreichen Sie das Partizip Perfekt.

1 Wie geht's deiner Mutter, Ben? – Ich weiß nicht. Ich habe sie noch nicht <u>angerufen</u>.
2 Hast du schon <u>eingekauft</u>? – Ja, klar.
3 Wann bist du heute <u>aufgestanden</u>? – Um sechs Uhr.
4 Wo ist sie <u>ausgestiegen</u>? – Am Potsdamer Platz.
5 Hast du das Licht <u>ausgemacht</u>? – Ja, sicher.

3 Schreiben Sie den Infinitiv oder das Partizip Perfekt.

1 *aufräumen*   aufgeräumt   6 zuhören   Zugehören
2 fernsehen   ferngesehen   7 Einschlafen   eingeschlafen
3 auspackt   ausgepackt   8 Anmachen   angemacht
4 ausfüllen   ausgefüllen   9 einsteigen   eingesteigen
5 ansehen   angesehen   10 Einkaufen   eingekauft

4 Ergänzen Sie das Partizip Perfekt.

1 Wir sind heute schon um sieben Uhr *aufgestanden* (aufstehen). – Was? So früh!
2 Ich bin im Kino eingeschlafen (einschlafen). – War denn der Film so schlecht?
3 Sie ist in München in den ICE eingestiegen (einsteigen). – Und wann kommt sie an?
4 Haben Sie das Formular ausgefüllt (ausfüllen)? – Ja, hier ist es.
5 Was hat er gesagt? – Keine Ahnung. Ich habe auch nicht zugehört (zuhören).
6 Ich habe hier in Köln noch niemanden kennengelernt (kennenlernen). – Ich auch nicht.

5 Daniela erzählt. Lesen Sie und ergänzen Sie das Partizip Perfekt.

> *Mein Tagebuch: Unsere Reise nach Paris*
>
> Letzte Woche haben wir eine Reise nach Frankreich (1) *gemacht* (machen). Wir sind
> früh (2) aufgesteht (aufstehen) und mit der S-Bahn zum Flughafen
> (3) gefahren (fahren). Ich bin in der S-Bahn (4) eingeschlaft (einschlafen), denn
> ich war sehr müde. Wir sind nach Paris (5) geflogen (fliegen). Im Flugzeug
> haben wir einen netten Franzosen (6) kennengelernt (kennenlernen). So habe ich
> schon ein bisschen Französisch (7) geübt (üben). Ein Freund hat uns in Paris
> vom Flughafen (8) abgeholt (abholen) und ins Hotel (9) gebracht (bringen).
> Wir haben die Koffer (10) ausgepackt (auspacken) und sind direkt in ein Café
> (11) gegangen (gehen). Wir haben Kaffee (12) getrunken (trinken) und ein
> Sandwich (13) gegessen (essen). Hm, das hat (14) geschmeckt (schmecken)! Dann
> haben wir die Stadt (15) besichtigt (besichtigen). Wir sind zum Eiffelturm
> (16) gefahren (fahren) und haben Paris von oben (17) gesehen (sehen).
> Und wir waren in den Galeries Lafayette und haben (18) eingekauft (einkaufen).

6 Was haben Sie gestern gemacht? Schreiben Sie vier Sätze mit trennbaren Verben.

Ich bin um 9 Uhr aufgestanden.

2 War sie nicht blond?

Präteritum: *sein* und *haben*

A Lesen Sie und unterstreichen Sie *war* und *hatte*.

Party-Talk
Du, Stefan, ist das nicht Jana?
    Ja, das ist sie. War sie nicht blond?
Doch, sie war blond. Und jetzt sind ihre Haare rot.
    Ist ihr Mann auch hier?
Nein, Jana war nie verheiratet, sie hatte einen Freund.

B Lesen Sie A noch einmal und ergänzen Sie.

	sein	haben
ich	war	hatte
du	warst	hattest
er / es / sie		
wir	waren	hatten
ihr	wart	hattet
sie / Sie	waren	hatten

Read about the use of *sein* and *haben* when referring to the past.
When speaking or writing about the past, we almost always use the *Präteritum*
of *sein* and *haben*: *Sie war nie verheiratet. Sie hatte einen Freund.*

1 Lesen Sie und unterstreichen Sie die Formen von *war* und *hatte*.

1 Was war los? Hattest du einen Unfall? – Ja, leider.
2 Wie war es in Berlin? – Schön. Aber wir hatten schlechtes Wetter.
3 Wie war die Party? – Ich weiß es nicht. Ich war nicht da.
4 Warst du im Kino? – Ja, der Film war super!
5 Wo waren Sie im Urlaub? – In Italien.
6 Wart ihr gestern im Kurs? – Nein, wir hatten keine Zeit.

2 Wetter in London. Ergänzen Sie.

~~war~~ ~~war~~ ~~wart~~ ~~hatten~~ Hattet

Ein super Foto! Wo (1) *wart* ihr denn da? – In London.
Cool! Und wie (2) *war* das Wetter? (3) *Hattet* ihr viel Regen? – Nein, das Wetter (4) *war*
richtig gut. Wir (5) *hatten* viel Sonne.

3 Früher und heute. Schreiben Sie das Gegenteil.

1 Früher *hatte Emil keine Wohnung.*   Heute hat Emil eine Wohnung.
2 _hatte Emil keinen Job_   Heute hat Emil einen Job.
3 _hatte Emil kein Auto_   Heute hat Emil ein Auto.
4 _ist Emil nicht verheiratet_   Heute ist Emil verheiratet.
5 _hatte Emil keine Kinder_   Heute hat Emil zwei Kinder.
6 _ist Emil nicht glücklich_   Heute ist Emil glücklich.

4 Lesen Sie Claras Blog und ergänzen Sie *war* oder *hatte*.

---

www.meinleben.net

Früher (1) _hatte_ ich nur wenige Freunde, aber ich (2) _hatte_ viel Zeit, und ich (3) _hatte_ einen super Computer. Programmieren (4) _ist_ mein Hobby. Später (5) _hatte_ ich dann ein Start-up, eine kleine Firma in Berlin. Ich (6) _hatte_ viel Arbeit, und ich (7) _war_ glücklich und auch erfolgreich. Im letzten Jahr (8) _hatte_ ich schon eine sehr große Firma. Ich (9) _hatte_ sehr viel Stress und (10) _war_ fast den ganzen Tag im Büro. Abends (11) _war_ ich immer sehr müde, und ich (12) _hatte_ keine Zeit mehr für meine Freunde. Ich (13) _war_ am Ende wirklich unglücklich. Und dann (14) _hatte_ ich eine Idee, und die Idee (15) _war_ gut: Ich habe die Firma verkauft. Heute arbeite ich weniger. Ich bin zufrieden und habe gute Freunde.

---

5 Ergänzen Sie die richtigen Formen von *war* und *hatte*.

1 Früher _waren_ wir oft zusammen im Kino. – Ja, stimmt.
2 Wo _____ du denn? – Gestern? Gestern _____ ich krank.
3 _____ du nicht eine Brille? – Nein, nie!
4 Wie _____ denn deine Ferien? – Super!
5 Vorsicht! Das Glas _____ teuer. – Ja, ja, es passiert schon nichts.
6 _____ du in Frankreich nicht einen Unfall? – Doch, das Auto ist total kaputt.
7 Der Termin _____ vor einer Stunde? – Wirklich? Das habe ich total vergessen!
8 _____ er nicht immer viele Freunde? – Ja, aber jetzt arbeitet er nur noch.

6 Wie war es früher bei Ihnen? Schreiben Sie vier Sätze mit *war* und *hatte*.

Früher war ich oft auf Partys.

3 Gestern durfte ich helfen.

Präteritum: Modalverben

A Lesen Sie und unterstreichen Sie das Modalverb.

Gestern durfte ich helfen!

B Lesen Sie A noch einmal und ergänzen Sie.

	können	müssen	dürfen	wollen	sollen
ich	konnte	musste	durfte	wollte	sollte
du	konntest	musstest	durftest	wolltest	solltest
er / es / sie	konnte	musste	durfte	wollte	sollte
wir	konnten	mussten	durften	wollten	sollten
ihr	konntet	musstet	durftet	wolltet	solltet
sie / Sie	konnten	mussten	durften	wollten	sollten

	2			Ende
Er	wollte		im Bett	bleiben.
Gestern	durfte	ich		helfen.
	Musstet	ihr	Hausaufgaben	machen?

Read about the use of modal verbs when referring to the past.
- Modal verbs are mostly used in *Präteritum: Gestern durfte ich helfen.*
  This is true for writing as well as speaking.
- The meaning of modal verbs:
  können = possibility, skill   *Er konnte nicht warten. / Sie konnte gut Klavier spielen.*
  müssen = rule, task   *Wir mussten viel lernen.*
  dürfen = permission   *Wir durften singen.*
  wollen = plan, wish   *Ich wollte Arzt werden.*
  sollen = advice   *Du solltest studieren.*

1 Schreiben Sie das Gegenteil im Präteritum.

1 Wir müssen nicht arbeiten. *Gestern mussten wir arbeiten.*
2 Wir müssen nicht ins Büro gehen. Gestern mussten wir ins Büro gehen
3 Wir können lange schlafen. Gestern konnten wir nicht lange schlafen
4 Wir können ins Fitness-Studio gehen. Gestern konnten wir nicht ins Fitness-Studio gehen

2 Die konnten etwas! Ergänzen Sie *konnte* in der richtigen Form.

1 Erinnerst du dich noch an Daniela? – Ja, sicher. Sie *konnte* sehr gut Klavier spielen.
2 Und Kerstin und Stefan? Weißt du noch? – Ja, klar. Sie *Konnte* wirklich gut singen.
3 Und Peer? – Ja, er *Konnte* schon mit sieben Jahren Violinkonzerte spielen.

3 Wenn Eva bei ihren Großeltern war, durfte sie alles. Schreiben Sie Sätze.

1 *Sie durfte viel Eis essen.* (viel Eis essen)
2 *Sie durfte im Fernsehen sehen* (Serien im Fernsehen sehen)
3 *Sie durfte spät ins Bett gehen* (spät ins Bett gehen)

4 Das sagten die Eltern. Schreiben Sie.

1 (Deutschlehrer) *Er sollte Deutschlehrer werden.* Heute fährt er Taxi.
2 (Arzt) _____ Heute ist er Ingenieur.
3 (Lehrerin) _____ Heute ist sie Ärztin.

5 Schreiben Sie Sätze mit *wollen*.

1 (gestern / Fitness-Studio gehen)
   Gestern wollte ich ins Fitness-Studio gehen. Aber ich hatte keine Zeit.
2 (letztes Jahr / in Urlaub fahren)
   Letztes Jahr wollte ich in Urlaub fahren Aber ich hatte kein Geld.
3 (vor einer Woche / Kino gehen)
   Vor einer Woche wollte ich Kino gehen Aber meine Freundin hatte keine Lust.

6 Ergänzen Sie die Modalverben im Präteritum.

◆ Wie war eigentlich der Deutschkurs?
○ Der Deutschkurs war toll. Wir (1) *mussten* (müssen) sehr viel sprechen.
   Das (2) *wollten* (wollen) wir auch, denn so lernt man viel.
◆ (3) *Musste* (müssen) ihr auch Hausaufgaben machen?
○ Ja, wir (4) *Sollten* (sollen) Übungen machen und Texte lesen. Viele (5) *wollten* (wollen) das
   nicht. Oder sie (6) *Konnte* (können) nicht. Denn wir (7) *mussten* (müssen) arbeiten.
◆ (8) *Durfte* (dürfen) ihr denn Fehler machen? Oder hat der Lehrer immer korrigiert?
○ Klar, beim Sprechen (9) *durften* (dürfen) wir auch Fehler machen. Wir alle (10) *durften*
   (dürfen) Fehler machen. Nur die Grammatikübungen hat der Lehrer immer korrigiert.

7 Und Sie? Was sollten Sie werden? Was sagten Ihre Eltern? Schreiben Sie.

Ich sollte Lehrer werden.

4 Der FC Bayern spielte gestern gegen Manchester.

Präteritum: regelmäßige und unregelmäßige Verben

A Lesen Sie und unterstreichen Sie die Verben.

> Der FC Bayern spielte gestern gegen Manchester.
> David Alaba machte das erste Tor in der dritten
> Minute. Die Zuschauer sahen ein spannendes Spiel.
> Beide Mannschaften spielten gut. Der FC Bayern
> gewann 2:0.

B Lesen Sie A noch einmal und ergänzen Sie.

	regelmäßig		unregelmäßig
	spielen	arbeiten	kommen
ich	spielte	arbeitete	kam
du	spieltest	arbeitetest	kamst
er / es / sie	_____	arbeitete	kam
wir	spielten	arbeiteten	kamen
ihr	spieltet	arbeitetet	kamt
sie / Sie	_____	arbeiteten	kamen

Read about the use of verbs when referring to the past.
Präteritum is mostly used in written reports and stories about past events.
The past (summary units 1 – 4):

	main verbs	*haben, sein,* Modalverben
speaking and informal writing	*Perfekt*	mostly *Präteritum*
formal writing	*Präteritum*	*Präteritum*

1 Schreiben Sie die Infinitive.

1 ich wartete *warten*
2 er blieb _____
3 wir hatten _____
4 sie gingen _____

5 er hieß _____
6 sie lachte _____
7 es gab _____
8 du trafst _____

2 Suchen Sie das Präteritum und ordnen Sie zu. Benutzen Sie Ihr Wörterbuch.

~~spielen~~ ~~kommen~~ machen lesen fahren laufen finden trinken schreiben besuchen nehmen schlafen arbeiten sehen

regelmäßig	unregelmäßig		
	a	u	ie
spielte	kam		

3 Eine Liebesgeschichte. Ergänzen Sie die regelmäßigen Verben im Präteritum.

Wir waren noch jung und (1) _liebten_ (lieben) uns sehr. Wir (2) _____ (studieren) beide in Heidelberg. Carla (3) _____ (leben) bei Ihrer Schwester und ich (4) _____ (wohnen) im Studentenwohnheim. Wir (5) _____ (lernen) viel für die Uni, aber wir trafen uns oft. Wir (6) _____ (machen) viel zusammen, manchmal gingen wir ins Kino oder (7) _____ (kaufen) ein. Carla (8) _____ (kochen) gerne. Manchmal kamen auch Freunde, und wir (9) _____ (machen) spontan eine Party. Dann fand Carla einen Job in Berlin und wir (10) _____ (heiraten). Berlin war super! Carla (11) _____ (lieben) ihren Job. Sie (12) _____ (verdienen) gut, und das Leben (13) _____ (machen) Spaß. Ich las viel und schrieb mein erstes Buch.

4 Ein Märchen. Ergänzen Sie die unregelmäßigen Verben im Präteritum.

Es war einmal ein kleiner Junge. Er (1) _hieß_ (heißen) Tim. Er hatte rote Haare und eine graue Mütze. Tim (2) _____ (gehen) gerne zur Schule. Er machte immer die Hausaufgaben, er (3) _____ (lesen) viel und (4) _____ (schreiben) auch gerne Diktate. Jeden Morgen (5) _____ (schlafen) Tim bis sieben Uhr. Dann (6) _____ (trinken) er ein Glas Milch. Er (7) _____ (nehmen) seine Schultasche, (8) _____ (laufen) zur Bushaltestelle und (9) _____ (fahren) in die Schule. Tim war immer pünktlich, er (10) _____ (kommen) nie zu spät. Eines Tages (11) _____ (laufen) Tim wieder zur Bushaltestelle. Da (12) _____ (sehen) er den bösen Wolf. Tim hatte keine Angst und (13) _____ (geben) dem Wolf die Hand …

5 Schreiben Sie das Märchen weiter.

_____

_____

5 Ich würde gerne viel reisen.

Konjunktiv 2: *werden*

A Lesen Sie die Sätze und unterstreichen Sie *würd-*.

www.forum-lotto.de	
Thema der Woche: **Du gewinnst 1 Million Euro.** Was <u>würdest</u> du tun?	
Zitronella56	11:13 Uhr Ich würde gerne viel reisen. Paris, New York … Ich liebe Städte.
luckyme112	18:34 Uhr Mein Mann und ich möchten gerne auf dem Land leben. Wir würden ein Haus kaufen.
glück&liebe	22:05 Uhr Würdet ihr alles ändern? Ich würde nur mehr Sport machen und weniger arbeiten!

B Lesen Sie A noch einmal und ergänzen Sie.

werden		2				Ende
ich	....	Ich	würde		gerne ein Haus	kaufen.
du	würdest	Er	würde		gerne nach Paris	fahren.
er / es / sie	würde	Manchmal	würden	wir	lieber im Bett	bleiben.
wir	....	Ich	würde		in den B1-Kurs	gehen.
ihr	....	Was	würdet	ihr	heute gerne	machen?
sie / Sie	würden		Würdest	du	alles	ändern?

> Read about the *Konjunktiv 2* of *werden*.
> - We use *Konjunktiv 2* to express dreams and wishes. We can also use it to ask polite questions, suggest something or give advice: *Ich würde einen Kurs besuchen.*
> - The *Konjunktiv 2* is formed as follows: *würd-* + infinitive of the verb.
> - **!** The *Konjunktiv 2* of *sein*, *haben* and modal verbs is formed differently (see 6 – 9).
> - *würd-* is in position 2.

1 Ordnen Sie die Sätze zu und unterstreichen Sie *würd-* und den Infinitiv.

1 Paula hat im Lotto gewonnen.
2 Tim muss heute früh arbeiten.
3 Jan hat wirklich Hunger.
4 Carla möchte heute nicht mehr feiern.
5 Wie findest du mein Deutsch?

a Ganz gut. Aber ich würde noch den B1-Kurs machen.
b Sie würde aber gerne fernsehen.
c Sie <u>würde</u> gerne ein Haus <u>kaufen.</u>
d Er würde lieber lange schlafen.
e Er würde gerne eine Pizza Salami bestellen.

2 Eine Million im Lotto. Und dann? Was ist richtig? Unterstreichen Sie.

1 Stephanie *würden / würde* nichts tun.
2 David und Christine wollen Geld verdienen. Sie *würden / würde* eine Firma kaufen.
3 Manuel liebt Autos. Er *würden / würde* einen BMW kaufen.
4 Karen und ich *würden / würde* eine Reise in die USA machen.
5 Ich *würden / würde* ein Haus auf dem Land kaufen und ein Buch schreiben.
6 Und ihr? Was *würdet / würdest* ihr machen?

3 Ergänzen Sie.

1 Was *würdest* du denn gerne tun? – Nichts. Nur fernsehen.
2 Ich _____ gerne viel Geld verdienen. – Okay. Dann such mal einen guten Job!
3 Wo _____ ihr denn gerne essen? – Bei Giovanni.
4 _____ Sie bitte das Fenster aufmachen? – Ja, natürlich.
5 Nina _____ nie Kaffee zum Frühstück trinken. – Wirklich? Aber Tee, oder?
6 Wir _____ das Museum auch gerne sehen. – Meine Eltern waren schon da.

4 Schreiben Sie Sätze.

1 Ich reise viel. → Er *würde auch gerne reisen.*
2 Ich tanze gerne. → Du _____
3 Emilie fährt nach Berlin. → Wir _____
4 Peter macht viel Sport. → Sie _____

5 Fragen und Tipps rund um den Deutschkurs. Ergänzen Sie die richtige Form von *würd-*.

1 *Würden* Sie einen Grammatikkurs buchen? – Ja, sicher, ich _____ den A2-Kurs nehmen.
2 _____ du alle Wörter lernen? – Nein, ich _____ nur die wichtigen Wörter lernen.
3 _____ Sie die Dialoge auch zu Hause hören? – Ja, wir _____ sie so oft wie möglich hören.
4 _____ ihr immer pünktlich kommen? – Ja, natürlich. Wir _____ immer pünktlich kommen, denn das ist höflich.

6 Träume. Schreiben Sie Sätze und ergänzen Sie Ihren Traum.

die Copacabana → ich / sehen   *Ich würde gerne die Copacabana sehen.*
das Oktoberfest → wir / besuchen   _____

6 Ich hätte gerne mehr Zeit.

Konjunktiv 2: *haben*

A Lesen Sie die Nachrichten und unterstreichen Sie *hätt-*.

juliablau *16.11., 19:52 Uhr*	Nur Uni, Lernen, Prüfungen! Ich <u>hätte</u> gerne mehr Zeit. Ich hätte gerne einen Tag mit 48 Stunden: spazieren gehen im Park, mit Freunden feiern und schlafen.
unpetitpeu *16.11., 19:56 Uhr*	Ein Tag mit 48 Stunden? Mein Tipp ist: weniger arbeiten. Dann hättest du mehr Spaß im Leben!

B Lesen Sie A noch einmal und ergänzen Sie.

	haben		2			Ende
ich	....	Ich	hätte			gerne mehr Zeit.
du	....	Wir	hätten			gerne Kinder.
er / es / sie	hätte	Dann	hätte	ich		gerne hundert Gramm Schinken.
wir	hätten	Was	hätten	Sie		gerne?
ihr	hättet		Hätten	Sie		noch etwas Brot?
sie / Sie	hätten					

Read about the *Konjunktiv 2* of *haben*.

- We use *Konjunktiv 2* to express dreams and wishes. We can also use it to ask for something or order something in a polite way: *Ich hätte gerne ein Bier.*
- The *Konjunktiv 2* of *haben* is *hätt-* and it is followed by the accusative: *Ich hätte gerne einen roten Mantel.*

1 Lesen und unterstreichen Sie *hätt-*. Welche Dialoge enthalten einen Traum? Kreuzen Sie an.

- ⊗ **1** Ich <u>hätte</u> gerne einen Sportwagen. – Ich auch. Aber die sind so teuer!
- ○ **2** Was darf's sein? – Ich hätte gerne hundert Gramm Schinken.
- ○ **3** Wir hätten gerne ein Haus mit Pool. – Ja, das hätte ich auch gerne.

2 Ein Mann und seine Träume. Schreiben Sie Sätze.

1. ● Familie / groß *Er hätte gerne eine große Familie.*
2. ● Haus / modern ....
3. ● Freunde / nett ....
4. ● Wagen / schön ....

3 In einem Restaurant. Sortieren und schreiben Sie.

1 Ich / ein Glas Wein. / hätte gerne — *Ich hätte gerne ein Glas Wein.*
2 hätten gerne / Wir / eine Pizza und einen Salat. _____
3 Ich / noch etwas Brot, bitte. / hätte gerne _____
4 den Rotwein. / Wir / hätten lieber _____

4 Tiere. Schreiben Sie Sätze.

1 Wir haben einen Papagei. → ● Katze   *Wir hätten lieber eine Katze.*
2 Sie hat eine Katze.   → ● Hund   *Sie hätte*
3 Ihr habt einen Hund.   → ● Krokodil _____
4 Ich habe ein Krokodil.   → ● Pony   _____
5 Sie haben ein Pony.   → ● Vögel   _____
6 Du hast Vögel.   → ● Fische _____

5 *haben* oder *würden*? Schreiben Sie Sätze im *Konjunktiv 2* mit *gerne*.

1 Ich *tanze* gerne. → *Du würdest gerne tanzen.*
2 Du *hast* ein schönes Haus. → *Ich* _____
3 Ich *fahre* nach Griechenland. → *Du* _____
4 Du *hast* viel Zeit. → *Ich* _____

6 Was sagen Lisa, Michelle und Christina über ihre Jobs? Ergänzen Sie.

~~hätte~~ würde hätte würde hätte würde würde

Lisa: Ich bin Architektin und habe ein eigenes Büro. Das ist super. Aber ich (1) *hätte* gerne mehr Zeit. Ich (2) _____ mich oft mit meinen Freunden treffen, und ich (3) _____ mehr lesen.
Michelle: Ich hatte als Student viel Zeit und viele Freunde. Heute arbeite ich nur noch. Mein Job ist mir wichtig. Ich (4) _____ gerne noch mehr verdienen, und ich (5) _____ gerne ein neues Auto.
Christina: Ich bin Krankenschwester und liebe meinen Job. Aber ich (6) _____ gerne weniger arbeiten. Ich (7) _____ gerne ein kleines Apartment.

7 Und Ihre Träume? Was hätten Sie gerne? Was würden Sie gerne tun? Schreiben Sie drei Sätze.

Ich hätte gerne mehr Zeit.

7 Wärst du gerne wieder ein Kind?

Konjunktiv 2: *sein*

A Lesen Sie die Nachrichten und unterstreichen Sie *wäre* und *wärst*.

www.maedchen-forum.net

Wärst du gerne wieder ein Kind?

MrsUnknown, 20:37	Manchmal wäre ich gerne wieder ein Kind: Ich würde mit Puppen spielen und wäre klein und süß. Das Leben wäre einfacher.
CrazyGirl11, 20:40	Wärst du wirklich gerne wieder so klein? Also ich nicht. Eigentlich möchte ich so alt sein wie ich jetzt bin.

B Lesen Sie A noch einmal und ergänzen Sie.

	sein		2		Ende
ich	....	Ich	wäre		gerne wieder jung.
du	....	Er	wäre		gerne reich.
er / es / sie	....	Manchmal	wären	wir	am liebsten wieder bei dir.
wir	wären	Wo	wärst	du	jetzt gerne?
ihr	wärt		Wärt	ihr	so nett und würdet mich bringen?
sie / Sie	wären		Wären	Sie	lieber wieder zu Hause?

Read about the *Konjunktiv 2* of *sein*.

- We use *Konjunktiv 2* to express dreams and wishes. We can also use it to make a request in a polite way: *Wärst du so nett?*
- The *Konjunktiv 2* of *sein* is *wär-*: *Ich wäre gerne wieder jung.*

Konjunktiv 2 (summary units 5 – 7):

		Konjunktiv 2
main verbs	Ich tanze.	Ich würde gerne tanzen.
haben	Ich habe ein Auto.	Ich hätte gerne ein Auto.
sein	Ich bin reich.	Ich wäre gerne reich.

1 Höflich oder unhöflich. Kreuzen Sie an.

1 Geh an die Tafel! ○ höflich ☒ unhöflich
2 Wärst du so nett und würdest du das wiederholen? ○ höflich ○ unhöflich
3 Machen Sie doch die Fenster auf! ○ höflich ○ unhöflich
4 Wären Sie so freundlich und würden Sie das Licht anmachen? ○ höflich ○ unhöflich

2 Wovon träumen die Leute? Schreiben Sie.

1 Ben ist im Büro. ⟨ zu Hause ⟩
Er wäre gerne zu Hause.

3 Carla ist in der Uni. ⟨ am Strand ⟩

2 Anna und Naomi sind in Wien. ⟨ in Berlin ⟩

4 Tim ist im Deutschkurs. ⟨ bei Julia ⟩

3 Präteritum oder Konjunktiv? Was ist richtig? Unterstreichen Sie.

1 Ich *war* / *wäre* so gerne bei dir.

2 Gestern *war* / *wäre* er im Kino.

3 Hier gefällt es mir nicht.
Ich *war* / *wäre* jetzt gerne in Berlin.

4 Im letzten Urlaub *waren* / *wären* wir jeden Tag am Strand.

5 Wir *waren* / *wären* jetzt gerne zu Hause.

6 Sie *war* / *wäre* noch nie in Wien.

4 Lesen Sie über Johannas Tag und ergänzen Sie *wär-*.

Heute bin ich wieder im Fitness-Studio. Ich (1) *wäre* viel lieber zu Hause. Aber so geht es vielen hier. Auch Anna und Emily. Sie gehen gerade in den Pilates-Kurs. Aber ich bin sicher, sie (2) _____ jetzt lieber mit ihren Freunden im Café. Ach ja, und ich wohne jetzt auf dem Land. Ich (3) _____ ja viel lieber wieder in der Stadt. Aber das ist viel zu teuer. Morgen früh fliegen Hansi und ich nach Berlin. Wir (4) _____ morgen ja lieber im Büro, denn Steffi macht eine Party. Und ihr? Wo (5) _____ ihr gerade lieber?

5 Ich auch! Schreiben Sie Sätze mit *wäre, würde* und *hätte*.

1 Er *ist* glücklich. → *Ich wäre auch gerne glücklich.*

2 Sie *spricht* Deutsch. → _____

3 Er *hat* ein großes Auto. → _____

4 Sie *ist* noch so jung. → _____

6 Im Deutschkurs. Schreiben Sie höfliche Fragen.

1 Sie / freundlich   *Wären Sie so freundlich* und würden Sie langsamer sprechen?

2 du / lieb   _____ und würdest du das wiederholen?

3 ihr / nett   _____ und würdet ihr an die Tafel kommen?

4 Sie / freundlich   _____ und würden Sie das notieren, Frau Frank?

7 Wer wären Sie gerne? Und wo wären Sie gerne? Schreiben Sie zwei Sätze.

Ich wäre gerne Angela Merkel. Ich wäre gerne in Berlin.

8 Du solltest deine Freunde gut auswählen.

Konjunktiv 2: *sollen*

A Lesen Sie und unterstreichen Sie *sollt-*.

> **Regeln für Facebook**
> 👍 **1** Du <u>solltest</u> keine privaten Fotos posten.
> 👍 **2** Man sollte seine Freunde gut auswählen.
> 👍 **3** Wir sollten nur über interessante Dinge berichten.
> 👍 **4** Ihr solltet korrekt und ohne Fehler schreiben.

B Lesen Sie und ergänzen Sie.

	sollen		2			Ende
ich	sollte	Du	solltest		keine privaten Fotos	posten.
du	_____	Sie	sollten		Ihre Freunde gut	auswählen.
er / es / sie	sollte	Heute	sollten	Sie	auch einmal offline	gehen.
wir	_____	Wo	solltet	Ihr	eure Freunde	treffen?
ihr	solltet		Sollten	wir	nicht über interessante Dinge	berichten?
sie / Sie	sollten					

Read about the *Konjunktiv 2* of *sollen*.
- We use *Konjunktiv 2* to give advice or suggest something: *Du solltest Deutsch lernen.*
- The forms correspond to those of the *Präteritum*.
- *sollt-* is in position 2. The infinitive of the verb is at the end of the sentence.

1 Lesen Sie und unterstreichen Sie die Formen von *sollt-*.

1 Ich poste mal das Foto von Carla und mir in der Bar. – Das <u>solltest</u> du nicht tun.
2 Sollten Sie nicht die E-Mail heute schreiben? – Ja, aber ich habe keine Zeit.
3 Er hat bestimmt 800 Freunde auf Facebook. – Naja, er sollte seine Freunde besser auswählen.
4 Ich sollte mal die Webseite neu schreiben. – Ja, mach das!
5 Solltet ihr nicht gehen? – Ja, du hast recht. Wir haben gleich einen Termin.

2 Vergleichen Sie Deutsch und Englisch. Dann übersetzen Sie.

Deutsch	Englisch	Meine Sprache
Du solltest ein Foto posten.	You should post a photo.	....
Er sollte vorsichtig sein.	He should be careful.	....

3 Viele Tipps. Was ist richtig? Unterstreichen Sie.

1 David arbeitet zu viel. Er *sollten* / *sollte* mal wieder seine Freunde treffen.
2 Tina und Marco sind ein bisschen zu dick. Sie *sollten* / *sollte* mehr Sport machen.
3 Das Haus ist doch viel zu teuer für euch. Ihr *sollten* / *solltet* eine kleine Wohnung mieten.
4 Als Ärztin müssen Sie mit den Patienten sprechen. Sie *sollten* / *sollte* einen Deutschkurs machen.

4 Geben Sie Tipps.

1 Ich habe kein Geld. (arbeiten)   *Du solltest mehr arbeiten.*
2 Ich verstehe hier nichts. (einen Deutschkurs machen)
3 Ich habe keine Freunde. (auf Partys gehen)
4 Ich bin gestresst. (Urlaub machen)

5 Regeln im Fitness-Studio. Schreiben Sie Sätze mit *ihr solltet* ...

Und so sagt es Christiane, die Trainerin:

Bitte, bitte, bitte ...!
1 Telefoniert nicht im Studio!
2 Bringt ein Handtuch mit!
3 Tragt saubere Sportschuhe!
4 Wärmt euch immer auf!
5 Kommt pünktlich in die Kurse!
6 Vergesst eure Chipkarte nicht!

Danke, euer Fitness-Team

1 *Ihr solltet nicht im Studio telefonieren.*
2
3
4
5
6

6 Ergänzen Sie.

1 Mann, mein Deutsch ist so schlecht! – Du *solltest* einen Kurs machen.
2 _____ er nicht beim Training sein? – Ja, aber er ist krank.
3 Wir _____ mal wieder deine Mutter anrufen. – Okay, das machen wir am Wochenende.
4 Der Kühlschrank ist leer. Ihr _____ einkaufen gehen. – Wir haben leider keine Zeit.

7 Was ist richtig auf Facebook? Schreiben Sie und geben Sie noch einen Tipp.

schreiben / nicht über deinen Chef   *Du solltest nicht über deinen Chef schreiben.*
posten / keine privaten Fotos

9 Könntest du bitte das Fenster zumachen?

Konjunktiv 2: *können*

A Ordnen Sie die Fotos den Fragen zu.

1 _A_ Könntest du bitte das Fenster zumachen?

2 ___ Könntet ihr bitte den Text lesen?

3 ___ Könntest du bitte die Tafel putzen?

A · B · C

B Lesen Sie A noch einmal und ergänzen Sie.

	können		2			Ende
ich	könnte	Wir	könnten		nach dem Kurs Kaffee	trinken.
du	....	Heute	könnte	er	auch eine Pizza	essen.
er / es / sie	könnte	Was	könnten	wir	denn heute	essen?
wir	könnten		Könntest	du	bitte das Fenster	zumachen?
ihr	....		Könnten	Sie	bitte morgen	kommen?
sie / Sie	könnten		Könntet	ihr	bitte den Text	lesen?

Read about the *Konjunktiv 2* of *können*.

- We use *Konjunktiv 2* in polite questions or in simple statements to make suggestions:
  Er könnte auch eine Pizza essen.
- *bitte* makes the question even more polite and is placed after the personal pronoun:
  Könntest du bitte lesen? Könntest du mir bitte helfen?
- The forms correspond to those of the *Präteritum*. But watch the umlaut:
  ich konnte → ich könnte.

1 Unterstreichen Sie die Formen von *könnt-*. Höfliche Fragen (F) oder Vorschläge (V)?
Markieren Sie.

1 <u>Könnten</u> Sie mir bitte ein Glas Wasser geben? (_F_) – Ja, gerne.
2 Wir könnten einen Film sehen. (___) – Super Idee!
3 Könntest du bitte etwas langsamer sprechen? (___) – Ja, klar.
4 Ihr könntet auch zu uns kommen. (___) – Ja, warum nicht?

2 Vergleichen Sie Deutsch und Englisch. Dann übersetzen Sie.

Deutsch	Englisch	Meine Sprache
Könntest du bitte das Fenster zumachen?	Could you close the window, please?	
Wir könnten Pizza essen.	We could eat pizza.	

3 Im Deutschkurs. Wo steht *bitte* in den Fragen? Machen Sie einen Pfeil ↓.

1 Könntet ihr ↓ einzeln sprechen?

2 Könntest du an die Tafel kommen?

3 Das Wort verstehe ich nicht. Könnten Sie es wiederholen?

4 Das kann ich nicht. Könnten Sie mir helfen?

4 Alles ist kaputt und Sie brauchen Hilfe. Schreiben Sie höfliche Fragen.

1 Die Spülmaschine ist kaputt. *Kommen Sie!* → *Könnten Sie bitte kommen?*

2 Die Heizung funktioniert nicht. *Hilf mir!* → ....

3 Mein Fahrrad ist kaputt. *Reparier es!* → ....

4 Mein Auto läuft nicht. *Schicken Sie einen Mechaniker!* → ....

5 Mein Computer funktioniert nicht. *Ruf mich an!* → ....

5 Schreiben Sie höfliche Fragen.

Könnten Sie bitte die E-Mail schreiben?

die E-Mail schreiben (→ Sie)
mir einen Kaffee mitbringen (→ du)
Herrn Müller zum Meeting einladen (→ Sie)
morgen früher kommen (→ du)
noch dem Kunden antworten (→ Sie)

6 Machen Sie Vorschläge.

1 wir / Sushi essen — *Wir könnten Sushi essen.*

2 ins Kino gehen / ihr

3 Erika / Tennis spielen / mit ihrer Freundin

4 auch zu dir kommen / ich

5 du / im Fitness-Studio trainieren

6 später kommen / er

7 Was möchten Sie gerne nach der Arbeit tun? Machen Sie Vorschläge.

Wir könnten zusammen kochen.

10 Ich wasche mich.

Reflexive Verben

A Ordnen Sie die Bilder den Sätzen zu.

1 _____ Ich ärgere mich.
2 _____ Ich wasche mich.

 A
 B

B Lesen Sie A noch einmal und ergänzen Sie.

sich waschen	
ich	wasche _____
du	wäschst dich
er / es / sie	wäscht sich
wir	waschen uns
ihr	wascht euch
sie / Sie	waschen sich

	2			Ende
Ich	wasche		mich.	
Wann	meldest	du	dich	an?
Er	ärgert		sich.	
	Ziehen	wir	uns	an?
Ihr	wascht		euch.	
Sie	treffen		sich.	

Read about reflexive verbs.

- *sich waschen, sich ärgern* and *sich anmelden* are examples of reflexive verbs.
- The forms of the reflexive pronouns correspond to those of the personal pronouns in the accusative. The only exception is the third person singular: *Er wäscht sich.*

1 Lesen Sie und unterstreichen Sie die reflexiven Verben und die Reflexivpronomen.

1 Wo treffen Sie sich? Am Bahnhof? – Nein, am Zoo.
2 Was machst du heute? Ruhst du dich aus? – Ja, ich bin müde.
3 Erinnerst du dich an unseren letzten Urlaub? – Ja, er war so schön.
4 Freut ihr euch auf den Besuch? – Ja, sehr.
5 Wie geht's ihm? – Ich glaube, er fühlt sich nicht gut.
6 Was ist los? – Ich muss mich beeilen. Der Deutschkurs fängt gleich an.

2 Sortieren Sie die Buchstaben.

1 sich terffen   *sich treffen*
2 sich rägern   _____
3 sich manelden   _____
4 sich sauruhen   _____
5 sich reinenrn   _____

6 sich fereun   _____
7 sich fhülen   _____
8 sich enwasch   _____
9 sich ziehanen   _____
10 sich beielen   _____

3 Ergänzen Sie das Reflexivpronomen.

1 *Ich* melde _mich_ an.
2 Worauf freust *du* _____?
3 *Claudia* erinnert _____ nicht.
4 *Wir* treffen _____ im Fitness-Studio.

5 Wie fühlt *ihr* _____ heute?
6 *Kim und Tom* ärgern _____ sehr.
7 Bitte kommen Sie. *Sie* müssen _____ beeilen.

4 Tor! Wohin kommt der Ball? Verbinden Sie.

1 Ich 🥅 melde 🥅 jetzt an. ⚽ mich

2 Ruht ihr 🥅 aus 🥅 ? ⚽ euch

3 Wir 🥅 müssen 🥅 beeilen. ⚽ uns

4 Warum 🥅 fühlt er 🥅 nicht gut? ⚽ sich

5 Im Urlaub. Ergänzen Sie die Reflexivpronomen.

◆ Was machst du?
○ Ich ruhe (1) _mich_ ein bisschen aus. Sag mal, was ist denn mit Claudia?
◆ Ach, sie ärgert (2) _____ über das Hotelzimmer. Die Klimaanlage ist kaputt.
○ Ja, ja, immer das gleiche Problem. Weißt du noch auf Ibiza? Keine Klimaanlage, keine Bar …
◆ Ja, ich erinnere (3) _____ . Du, hast du (4) _____ schon für den Surfkurs angemeldet?
○ Nein, habe ich nicht. Clara möchte auch mitmachen.
◆ Okay, aber ihr müsst (5) _____ beeilen. Der Kurs fängt morgen an.
○ Ja, klar. Ich spreche mit Clara. Aber heute fühlt sie (6) _____ nicht so gut.
◆ Oh, nein! Wir wollten (7) _____ doch an der Bar treffen. Ich freue (8) _____ schon den ganzen Tag auf einen leckeren Cocktail.
○ Vielleicht kommt sie später noch. Lass uns gehen!

6 Worauf freuen Sie / Ihre Freunde sich? Worüber ärgern Sie / Ihre Freunde sich? Schreiben Sie vier Sätze.

Ich freue mich auf das Wochenende.
_____
_____
_____

A

11 Der Motor wird repariert.

Passiv Präsens

ENTDECKEN

A Unterstreichen Sie die Verben und ordnen Sie dann die Bilder den Sätzen zu.

1 _B_ Der Motor <u>wird repariert</u>.   **3** .... Die Häuser werden gebaut.
2 .... Die Kartoffeln werden gekocht.

B Lesen Sie A noch einmal und ergänzen Sie.

Aktiv: Der Mechaniker repariert den Motor.
                       — Akkusativ

Passiv: Der Motor _____ _____
       Nominativ

ich	werde
du	wirst
er / es / sie	wird
wir	werden
ihr	werdet
sie / Sie	werden

	2			Ende	Infinitiv	→ Partizip Perfekt
Der Motor	wird		heute	repariert.	reparieren	→ repariert
Bald	werden	Häuser		gebaut.	bauen	→ gebaut
Wann	werden	die Büros		geputzt?	putzen	→ geputzt
	Werden	wir	nicht	abgeholt?	abholen	→ abgeholt

Read about the passive voice.
- We use the passive voice when the person acting is of no importance.
- The object of the active sentence becomes the subject of the passive sentence.
- The passive is formed with *werden* und the past participle of the main verb: *wird repariert.*

ÜBEN

1 Die Person ist wichtig: Man kennt sie (✓). Die Person ist nicht wichtig: Man kennt sie nicht (X). Markieren Sie.

1 Steffie putzt die Wohnung. ✓
2 Das Auto wird repariert. X
3 Die Wohnung wird geputzt. ....
4 Der Mitarbeiter von Ikea liefert den Schrank. ....
5 David repariert sein Auto. ....
6 Der Schrank wird geliefert. ....

2 Unterstreichen Sie *wird / werden*. Sortieren Sie die Buchstaben und ergänzen Sie das Partizip Perfekt.

1 Wann <u>werden</u> hier die Büros *geputzt* (pugetzt)? – Von 19 bis 20 Uhr.

2 Wohnt ihr noch bei Freunden? – Ja, unser Haus wird gerade .... (bageut).

3 Wo ist denn dein Mantel? – In der Reinigung. Er wird .... (reigenigt).

4 Hast du ein neues Buch geschrieben? – Ja, es wird heute .... (drugeckt).

5 Das Brandenburger Tor ist berühmt, oder? – Ja, es wird sehr oft .... (fogrtoafiert).

6 Muss ich den Personalausweis mitnehmen? – Ja, vor dem Stadion wird oft .... (trolliertkon).

7 Der Schrank ist viel zu groß für unser Auto. – Kein Problem! Er wird .... (liegefert).

8 Ich hoffe, dass alles richtig ist. – Keine Angst, die Rechnungen werden .... (prgeüft).

3 *wird* oder *werden*? Unterstreichen Sie.

1 Die Häuser *wird / <u>werden</u>* hier im Dorf gebaut.

2 Die Zeitung *wird / werden* in Berlin gedruckt.

3 Der Ausweis *wird / werden* oft kontrolliert.

4 Die Fans *wird / werden* vor dem Konzert kontrolliert.

4 Unser Haus! Was wird alles gemacht? Schreiben Sie Sätze.

1 die neuen Regale / liefern / schnell

2 die Fenster / putzen / morgen

3 eine Garage / bald / bauen

4 die Türen / reparieren / später

5 auch bald / die Küche / renovieren

6 die Waschmaschine / genau / prüfen

7 der Kühlschrank / reinigen / nächste Woche

8 der alte Herd / auch / kontrollieren

	2		Ende
1 *Die neuen Regale*	*werden*	*schnell*	*geliefert.*
2 Morgen		die Fenster	
3		bald	
4 Später			
5		auch bald	
6			
7 Nächste Woche			
8			

5 Was wird bei Ihnen zu Hause alles geliefert? Kreuzen Sie an und ergänzen Sie.

○ Pizza wird geliefert.   ○ Getränke werden geliefert.   ○ ....

12 Ich freue mich auf die Zusammenarbeit.

Verben mit Präpositionen 1

A Lesen Sie und unterstreichen Sie die Präposition.

Ich freue mich auf die Zusammenarbeit.

B Lesen Sie A noch einmal und ergänzen Sie.

Verb + Präposition + Akkusativ		
sich ärgern über	→	Du ärgerst dich über die Preise.
sich beschweren über	→	Ihr beschwert euch über den Service.
sich bewerben um	→	Ich bewerbe mich um die Stelle.
denken an	→	Ich denke oft an dich.
sich freuen auf	→	Ich freue mich .... die Zusammenarbeit.
sich interessieren für	→	Er interessiert sich für den Kurs.
sich kümmern um	→	Wir kümmern uns um die Kinder.

Read about prepositional verbs.

- There are many set combinations of verbs and prepositions. These are called prepositional verbs.
- *denken an, sich freuen auf* ... are followed by objects in the accusative.

1 Ordnen Sie Verben und Präpositionen zu.

1 denken   **2** sich kümmern   **3** sich freuen

4 sich bewerben   **5** sich ärgern

6 sich interessieren   **7** sich beschweren

..... **a** auf   ..... **c** für   ..... **e** über   ..... **g** um
_1_ **b** an   ..... **d** um   ..... **f** über

2 Ordnen Sie zu.

1 Meine Frau geht ins Fitness-Studio. Heute kümmere ich mich   **a** über den Service.
2 Bei der Firma verdient man gut. Da bewerbe ich mich   **b** über das Wetter.
3 Bald ist Sommer. Die Kinder freuen sich schon   **c** auf den Urlaub.
4 Theo geht oft ins Konzert. Er interessiert sich sehr   **d** um das Essen.
5 Ich liebe dich. Ich denke oft   **e** um eine Stelle.
6 Es ist Sommer und es regnet wieder. Wir ärgern uns jeden Tag   **f** für Musik.
7 Hier im Hotel funktioniert gar nichts. Ich beschwere mich jetzt   **g** an dich.

3 Lesen Sie und ergänzen Sie die Präpositionen.

1 Kommt Oma denn wirklich? – Ja, klar! Ich freue mich schon _auf_ ihren Besuch.
2 Die Anzeige ist interessant, oder? – Ja, ich möchte mich .... die Stelle bewerben.
3 Was kann ich für Sie tun? – Ich möchte mich .... den Service hier beschweren.
4 Ich denke oft .... meine Familie. – Ja, das kann ich verstehen.
5 Interessieren Sie sich .... Fußball? – Nein, nicht wirklich.
6 Können Sie sich bitte .... das Gepäck kümmern? – Ja, natürlich. Ich bringe es Ihnen.
7 Ich ärgere mich oft .... die Preise hier. – Ja, München ist wirklich teuer.

4 Urlaub und nur Probleme! Schreiben Sie Sätze.

1 sich ärgern über / ● Kellner   Tim _ärgert sich über den Kellner._
2 sich beschweren über / ● Preise   Steffie ....
3 sich ärgern über / ● Hotelzimmer   Ben ....
4 sich beschweren über / ● Frühstück   Meine Eltern ....

5 Lesen Sie den Blog. Welche Präposition ist richtig? Unterstreichen Sie.

www.mein-freund-und-ich.de

Ich heiße Emilia und wohne in München. Ich denke oft (1) _an_ / über meinen Freund. Er heißt Marc und wohnt in Berlin. Ich sehe ihn nicht oft. Er interessiert sich sehr (2) über / für Musik und geht oft in Konzerte. Aber manchmal ärgert er sich (3) um / über die Preise. Die Konzerte sind heute wirklich teuer. Marc ist Sozialarbeiter. Er kümmert sich (4) um / über arme Kinder und ihre Familien.
Marc möchte sich jetzt (5) über / um eine Stelle in München bewerben. Er möchte hier arbeiten und wir möchten zusammen wohnen. Am Wochenende kommt Marc nach München. Ich freue mich schon (6) auf / über ihn.

6 Was interessiert Sie? Schreiben Sie zwei Sätze.

Ich interessiere mich für Musik.

13 Ich träume von einem Haus.

Verben mit Präpositionen 2

A Lesen Sie und unterstreichen Sie die Präposition.

> Ich träume von einem Haus und einer Familie.

B Lesen Sie A noch einmal und ergänzen Sie.

Verb + Präposition + Dativ		
Angst haben vor	→	Ich habe Angst vor Hunden.
sprechen mit	→	Wir sprechen heute mit dem Chef.
teilnehmen an	→	Möchtet ihr an der Veranstaltung teilnehmen?
telefonieren mit	→	Er telefoniert gerade mit ihr.
träumen von	→	Ich träume _____ einem Haus und einer Familie.
sich treffen mit	→	Er trifft sich mit ihr.
sich verabreden mit	→	Ich bin mit meiner Freundin verabredet.

Read about prepositional verbs.

sprechen mit, träumen von … are followed by objects in the dative case.

1 Lesen Sie und unterstreichen Sie die Verben und die Präpositionen *von* und *mit*.

1 Ist sie traurig? – Ja, bitte sprich noch einmal mit ihr!
2 Was machst du jetzt? – Ich treffe mich mit meinem Freund.
3 Gehst du schon? – Ja, ich habe mich mit meinem Freund verabredet.
4 Was wünschst du dir am meisten? – Ich träume von einem kleinen Haus am See.

2 Sortieren Sie und schreiben Sie Sätze.

REDE MICH	NER SCHWESTER.	1 ICH VERAB	MIT MEI
MT AN	2 ER NIM	DEM KURS	TEIL.
LEGIN.	FONIERT MIT	IHRER KOL	3 SIE TELE
4 HABT IHR	DER PRÜ	ANGST VOR	FUNG?

1 *Ich verabrede mich mit meiner Schwester.*

2 ....

3 ....

4 ....

3 Ordnen Sie zu.

1 Sie ist meine Freundin. Ich telefoniere oft   **a** mit mir.
2 Er mag mich und verabredet sich gerne   **b** mit ihnen.
3 Er heißt Jan und ich treffe mich heute   **c** mit ihm.
4 Meine neuen Nachbarn sind nett. Ich spreche oft   **d** mit ihr.

4 Lesen Sie den Blog und ergänzen Sie die Präpositionen.

mit   mit   mit   über   über   ~~um~~   für   auf

www.leute-und-jobs.de

Carla mag ihren neuen Job. Sie arbeitet bei TechFirst und kümmert sich (1) _um_ den
Kundenservice. Sie interessiert sich sehr (2) _____ Computer und freut sich (3) _____ die
Gespräche mit Kunden. Die Kunden sind meistens ganz nett. Aber manche ärgern sich
(4) _____ die Preise oder beschweren sich (5) _____ die Technik. Dann telefoniert Carla
(6) _____ ihnen und hilft. Aber Carla hat auch ein Problem: zu viel Arbeit. Deshalb muss sie bald
(7) _____ ihrem Chef sprechen. Heute arbeitet Carla nur bis 16 Uhr. Sie hat sich
(8) _____ Paul verabredet. Die beiden möchten ins Kino gehen.

5 Das ist Liebe. Akkusativ oder Dativ? Unterstreichen Sie.

1 Er ist so nett! Ich träume schon von *ihn / ihm*.   4 Ich hoffe, er denkt an *mich / mir*.
2 Er interessiert sich auch sehr für *mich / mir*.   5 Er hat sich mit *mich / mir* verabredet.
3 Morgen trifft er sich mit *mich / mir*.   6 Ich freue mich schon auf *ihn / ihm*.

6 Ergänzen Sie die Tabelle.

Verb	Präposition	Akkusativ	Dativ
träumen	von		X
denken			
telefonieren			
sich interessieren			
sich verabreden			
sprechen			
sich freuen			
sich treffen			

7 Wovon träumen Sie? Schreiben Sie zwei Sätze.

Ich träume von einem warmen Sommer.

_____

14 Ich lasse meine Uhr reparieren.

lassen

A Ordnen Sie die Bilder den Sätzen zu.

1 _____ Wir lassen ein Haus bauen.
2 _____ Ich lasse die Hemden waschen.

B Lesen Sie A noch einmal und ergänzen Sie.

	lassen
ich	....
du	lässt
er / es / sie	lässt
wir	....
ihr	lasst
sie / Sie	lassen

	2			Ende
Ich	lasse		meine Uhr	reparieren.
Du	lässt		dein Auto	waschen.
Sie	lässt		die Kinder länger	schlafen.
Wo	lässt	er	seine Hemden	waschen?
	Lassen	wir	unser Auto	stehen?

Read about the use of *lassen*.

- *lassen* is used when …
  we have things done: *Ich lasse meine Hemden waschen.*
  we allow or do not allow something: *Sie lässt die Kinder länger schlafen.*
  we leave things unchanged: *Ich lasse das Auto stehen.*
- *lassen* is in position 2. The infinitive of the verb is at the end of the sentence.
- The *a* in *lassen* changes into an umlaut after *du* and *er / es / sie*: *lassen → lässt*.

1 Paul und Paula machen nichts selbst. Schreiben Sie Sätze mit *lassen*.

1 Er wäscht seine Hemden nicht selbst. *Er lässt seine Hemden waschen.*
2 Sie schneidet ihre Haare nicht selbst. ....
3 Er repariert sein Auto nicht selbst. ....
4 Sie putzt ihre Wohnung nicht selbst. ....
5 Sie kauft ihre Lebensmittel nicht selbst ein. ....

2 Dinge machen lassen. Ergänzen Sie.

1 *Lässt* du auch die Lebensmittel liefern? – Ja, ich bestelle sie im Internet.
2 Wann _____ ihr denn die Wohnung renovieren? – Vielleicht nächstes Jahr.
3 Lena und Ben _____ die Fahrräder reparieren. – Ach, und wo?
4 Ich _____ den Motor austauschen. – Warum? Fährt das Auto denn nicht mehr?
5 _____ wir einen Handwerker kommen? – Ja, die Waschmaschine ist schon wieder kaputt.
6 Carla _____ die Hose ändern. – Warum? Ist sie denn zu eng?

3 Alles ist erlaubt. Schreiben Sie Sätze mit *lassen*.

1 Wir dürfen viel lesen.   Der Deutschlehrer *lässt uns viel lesen.*
2 Die Kinder dürfen viel spielen.   Die Mutter _____
3 Ronja darf mit meinem Auto fahren.   Ich _____
4 Ihr dürft auch Fehler machen.   Eure Chefs _____

4 Die Dinge bleiben so. Unterstreichen Sie die richtige Form von *lassen*.

1 Ich habe etwas getrunken und *lassen / lasse* den Wagen stehen. – Das ist gut so.
2 *Lässt / Lasst* du bitte die Schlüssel auf dem Tisch liegen? – Ja, sicher.
3 *Lassen / Lasst* wir die Fenster offen? – Ja, kein Problem. Es regnet heute nicht.
4 Bitte *lassen / lasst* Sie die Tür geschlossen. – Ja, gerne.

5 Ergänzen Sie den Dialog.

lassen den Kaffee kochen   lassen ihre Termine organisieren   ~~lässt ihre E-Mails schreiben~~
lässt seine Reisen buchen

◆ Du Kerstin, machst du eigentlich immer noch alles selbst?
○ Ja, sicher, ich schreibe alle E-Mails selbst. Nur meine Chefin (1) *lässt ihre Mails schreiben.*
◆ Und Kaffee kochst du natürlich auch selbst?
○ Ja, nur unsere Chefs haben Assistenten und (2) _____
◆ Wer bucht denn deine Reisen?
○ Na, ich! Aber ich habe einen Kollegen, und er (3) _____
◆ Und deine Termine?
○ Die Termine organisiere ich. Nur die Chefs (4) _____

6 Was lassen Sie alles machen? Schreiben Sie zwei Sätze.

Ich lasse mein Fahrrad reparieren.

15 Die Eltern, die Kinder

Singular und Plural

A Lesen Sie und unterstreichen Sie die Nomen im Plural.

> Und wir sind die Kinder.

> Wir sind die Eltern.

B Lesen Sie A noch einmal und ergänzen Sie die Endung.

	Singular	Plural	a, o, u, au werden oft ä, ö, ü, äu
-(e)n	● Jacke	● Jacken	
-nen	● Lehrerin	● Lehrerinnen	
-er	● Kind	● Kind_____	● Land – ● Länder ● Haus – ● Häuser
-e	● Tisch	● Tische	● Stadt – ● Städte ● Stuhl – ● Stühle
-	● Lehrer	● Lehrer	● Vater – ● Väter ● Vogel – ● Vögel
-se	● Zeugnis	● Zeugnisse	
-s	● Baby	● Babys	

Nur Singular			Nur Plural	
abstrakt	**Material**	**Gruppe**		
● Glück ● Durst ● Liebe ● Hunger ● Alter	● Wasser ● Eis ● Milch ● Gold ● Butter	● Gemüse ● Geschirr ● Obst ● Musik ● Fleisch	● Möbel ● Leute ● Ferien ● Eltern	

Read about the singular and the plural.
- When using the singular, we refer to one person or one object.
- When using the plural, we refer to two or more persons or to two or more objects.
- The definite article of the plural is always *die*.

1 Welche Nomen sind im Plural gleich? Benutzen Sie Ihr Wörterbuch und kreuzen Sie an.

○ ● Schüler   ○ ● Brötchen   ○ ● Pause   ○ ● Zimmer   ○ ● Bett

○ ● Messer   ○ ● Gabel   ○ ● Poster   ○ ● Problem   ○ ● Lehrer

2 Ergänzen Sie die Endungen und die Umlaute.

Einkaufsliste

4 Banan*en*   3 Birne_____

2 Flasch_____ Limonade   2 Apfel_____

6 Wurst_____ vom Metzger   2 Glas_____ Marmelade

3 *au* oder *äu*? Ergänzen Sie.

1 ● Baum	● B.*äu*.me	4 ● Frau	● Fr_____en	7 ● Maus	● M_____se
2 ● Pause	● P_____sen	5 ● Bauch	● B_____che	8 ● Auge	● _____gen
3 ● Haus	● H_____ser	6 ● Raum	● R_____me	9 ● Traum	● Tr_____me

4 *o* oder *ö*? Ergänzen Sie.

1 ● Topf	● T.*ö*.pfe	4 ● Dorf	● D_____rfer	7 ● Kopf	● K_____pfe
2 ● Bahnhof	● Bahnh_____fe	5 ● Sohn	● S_____hne	8 ● Tonne	● T_____nnen
3 ● Dose	● D_____sen	6 ● Einwohner	● Einw_____hner	9 ● Schloss	● Schl_____sser

5 *a* oder *ä*. Ergänzen Sie.

1 ● Hand ● H.*ä*.nde   2 ● Mann ● M_____nner   3 ● Tasche ● T_____schen   4 ● Vater ● V_____ter

6 Bilden Sie die feminine Form der Berufe im Plural.

Früher gab es weniger Berufe für Frauen. Sie arbeiteten zum Beispiel als (1) *Lehrerinnen* (Lehrer). Heute arbeiten Frauen in fast allen Berufen. Sie sind (2) _____ (Polizist), (3) _____ (Techniker), (4) _____ (Mechaniker), (5) _____ (Journalist) und (6) _____ (Handwerker). Und das ist gut so!

7 Welche Wörter haben **keinen** Plural? Kreuzen Sie an.

1 ○ ● Liebe	3 ○ ● Hunger	5 ○ ● Saft	7 ○ ● Gemüse	9 ○ ● Banane
2 ○ ● Land	4 ○ ● Wasser	6 ○ ● Butter	8 ○ ● Obst	10 ○ ● Musik

8 Welche Wörter haben einen Singular? Schreiben Sie.

1 ● Möbel	/	4 ● Tomaten	_____	7 ● Eltern	_____
2 ● Tische	*der Tisch*	5 ● Leute	_____	8 ● Mütter	_____
3 ● Ferien	_____	6 ● Studenten	_____	9 ● Vögel	_____

9 Beschreiben Sie Ihren Körper. Benutzen Sie dabei Singular und Plural.

Ich habe eine Nase, aber zwei Augen.

16 Nimmst du den Bus?

Akkusativ / Dativ

ENTDECKEN

A Lesen Sie die Whats-App-Nachrichten und
unterstreichen Sie die Artikel.

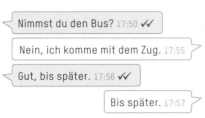

Nimmst du den Bus? 17:50 ✓✓

Nein, ich komme mit dem Zug. 17:55

Gut, bis später. 17:56 ✓✓

Bis später. 17:57

B Lesen Sie A noch einmal und ergänzen Sie.

	Akkusativ			Dativ		
	definiter Artikel		indefiniter Artikel	definiter Artikel		indefiniter Artikel
• maskulin	....	Bus	einen Bus	....	Zug	einem Zug
• neutral	das	Taxi	ein Taxi	dem	Taxi	einem Taxi
• feminin	die	U-Bahn	eine U-Bahn	der	U-Bahn	einer U-Bahn
• Plural	die	Fahrräder	--- Fahrräder	den	Fahrrädern	--- Fahrrädern

	2 Verb	Wen? / Was? Akkusativ	Wem? / Was? Dativ
Ich	nehme	den Bus.	
Wir	fahren mit		dem Taxi.

Read about the accusative and the dative.

* In the accusative only the articles of masculine nouns change: *der → den, ein → einen*.
* In the dative the articles of masculine and neuter are identical: *der → dem, das → dem*
* In the singular the endings of *mein-, dein-* ... and *kein-* correspond to those of *ein-*.

ÜBEN

1 Schreiben Sie mit den Wörtern je einen Satz im Akkusativ und im Dativ.
Unterstreichen Sie die Artikel.

• Taxi • ~~Bus~~
• U-Bahn • Taxis

	Akkusativ	Dativ
•	Ich nehme immer den Bus.	Ich fahre immer mit dem Bus.
•		
•		
•		

2 Akkusativ oder Dativ? Unterstreichen Sie die richtige Form.

1 Wie kommst du ins Büro, Sarah? – Ich nehme *der* / <u>*die*</u> S-Bahn und *den* / *dem* Bus.
2 Und du, Maria? – Ich fahre mit *den* / *dem* Fahrrad.
3 Daniel, wie kommst du denn zur Arbeit? – Ich nehme manchmal *das* / *dem* Auto.
   Oder ich fahre mit *den* / *dem* Zug.
4 Und du, Johann? – Ich fahre mit *die* / *der* U-Bahn. Dann nehme ich *die* / *der* Straßenbahn.

3 Akkusativ oder Dativ? Was folgt nach diesen Verben? Sortieren Sie.

~~gefallen~~ mögen finden brauchen helfen gehören haben
sprechen mit nehmen fahren mit danken essen schmecken

→ Akkusativ	
→ Dativ	*gefallen*

4 Stehen die kursiven Wörter im Akkusativ oder Dativ? Ordnen Sie zu.

	Akkusativ	Dativ
1 Das Tablet hier gehört *einer Freundin*.		*einer Freundin*
2 Ich finde *meinen Laptop* wieder nicht.		
3 Wir helfen natürlich *unserem Kollegen*.		
4 Hast du *keinen Schreibtisch*?		
5 Wir haben *Probleme*.		
6 Ich spreche mal mit *dem Chef*.		

5 Akkusativ oder Dativ? Ergänzen Sie.

meiner ~~meiner~~ meinem deinem deinem sein meinen

1 Und wie finden Sie das Haus? – Also, es gefällt _meiner_ Frau. Aber mir nicht.
2 Wie gefällt dir Manuels neue Wohnung? – Nicht schlecht. Aber ich fand _____ Haus besser.
3 Gefällt _____ Freund dein neuer Wagen? – Nein, er mag _____ Wagen nicht.
4 Ich finde das Wohnzimmer cool. – Ja, ich auch. Aber die Möbel gefallen _____ Mann nicht.
5 Du hast Probleme mit der Kollegin. Dann solltest du mal mit _____ Chef sprechen. –
   Sicher, aber ich spreche erst einmal mit _____ Kollegin.

6 Verkehrsmittel. Schreiben Sie kurze Dialoge und beginnen Sie abwechselnd mit
Ich nehme … und mit *Ich fahre mit …*

Ich nehme das Flugzeug. – Ich nicht.

17 Sie haben während des Films geschlafen.

Genitiv

A Lesen Sie und markieren Sie die Artikel der unterstrichenen Satzteile.

Meine Freunde, Amanda und Daniel, waren im Kino. Sie haben <u>während des Films</u> geschlafen. Die <u>Namen der Schauspieler</u> haben sie natürlich vergessen.

B Lesen Sie A noch einmal und ergänzen Sie.

Genitiv				
• maskulin	während	*des!* _____	der Name	des Fußballspielers
	während	des ! Kurses	das Ende	des ! Satzes
• neutral	während	des Konzerts	der Name	des Mädchens
	während	des ! Festes	die Farbe	des ! Hauses
• feminin	während	der Show	der Name	der Frau
• Plural	während	der Konzerte	die Namen	*der Frauen*

Genitiv bei Namen:

-s		s' z' x'	
Emmas Schwester	Pauls Eltern	Thomas' Frau	Iris' Großmutter
Christans Kinder	Lauras Vater	Franz' Vater	Max' Baby

Read about the genitive.
- The genitive signals belonging or possession. It is also used after the preposition *während*.
- We add an *s* to the end of masculine and neuter nouns: *des Films*, *des Konzerts*.
- Masculine and neuter nouns ending on *s, ss, z, tz, st* ... get the ending *es*: *des Hauses*.
- The genitive is also used with names: we add an *s* to the name. An apostrophe is used instead of an *s* with names ending with *s, z* or *x*.

1 Was ist richtig? Unterstreichen Sie und markieren Sie das Genitiv-*s*.

während ...
- der / <u>des</u> Urlaub[s]   • der / <u>des</u> Theaterstück[s]   • der / des Arbeit   • der / des Ferien

2 *s, es* oder kein *s*? Ergänzen Sie.

1 während der Ausstellung /   3 während des Interview**s**   5 während der Prüfung**es**
2 während des Deutschkurs**es**   4 während des Flug **/**   6 während des Workshop **/**

(handwritten note, top right) w Blue = Masculine / Pink = Feminine / Yellow = Plural Green = Neutral

3 Was macht Eva? Ergänzen Sie die Sätze.

1 Eva trinkt *während des Trainings* (● Training) nicht genug. – Das sollte sie aber.
2 Sie ist ..... *der Prüfung* ● Prüfung) eingeschlafen. – Das kann ich nicht glauben!
3 Sie hat ..... *der Ferien* ● Ferien) mit dem Chef telefoniert. – Wie bitte?
4 Sie hat ..... *des* (● Theaterstück) gelesen. – Das darf doch nicht wahr sein!
5 Sie hat ..... *des Termin* (● Termin) immer wieder auf die Uhr gesehen. – Ach, wirklich?

4 Ergänzen Sie *des* oder *der* und das Genitiv-*s*, wenn nötig.

Kennen Sie …
1 den Namen *des* ● Schauspieler *s* ?
2 das Geburtsdatum *des* ● Mädchen *s* ?
3 den Wohnort *der* ● Kollegin *es* ?
4 die Telefonnummern *der* ● Mitarbeiter *es* ?

5 Kolleginnen im Büro. Ergänzen Sie die Nomen im Genitiv.

◆ Selma, wer hat denn da angerufen? War das der neue Chef (1) *der Werkstatt* (● Werkstatt)?
○ Keine Ahnung. Nein, das war ein Ingenieur, ein Kunde vielleicht.
◆ Erinnerst du dich noch an den Namen (2) _____ (● Ingenieur)?
○ Nein, den Namen habe ich vergessen.
◆ Und hast du seine Telefonnummer oder die Nummer (3) *der Fi* _____ (● Firma) notiert?
○ Nein, tut mir leid.
◆ Du musst bitte immer Name und Telefonnummer (4) _____ (● Leute) notieren.
◆ Ja, es tut mir leid. Aber an den Namen (5) _____ (● Stadt) erinnere ich mich.
○ Ja, und welche Stadt ist es?
◆ Hamburg! Die Stadt war Hamburg. Ja, und er wollte sich über unsere neuen Produkte informieren. Die Qualität (6) _____ (● Material) interessierte ihn.
○ Naja, er ruft sicher noch einmal an.

6 -*s* oder -'? Ergänzen Sie.

1 Wen hast du gesehen? – Ich habe Gerd *s* Mutter gesehen.
2 Ist das Elias___ Freundin? – Ich glaube, ja.
3 Wohnen Carla___ Großeltern nicht auch in Köln? – Nein, sie wohnen in München.
4 Wer ist das? – Ich glaube, dass das Agnes___ Mann ist.
5 Ist Max___ Schwester auch hier? – Nein, ich glaube sie ist zu Hause.

7 Schreiben Sie drei Sätze mit *während*.

Ich esse während der Arbeit.

_____

_____

18 Ich schenke Nina das Fahrrad.

Verben mit zwei Objekten 1

A Weihnachten. Wem schenken Sie was? Lesen Sie und verbinden Sie.

Ich schenke Peer Decker die Uhr, Nina das Fahrrad und Oma Betty den Laptop.

1

2

3

A

B

C

B Lesen Sie.

	Dativ Wem? → Person	Akkusativ Was? → Ding
Ich schenke	Peer Decker meinem Freund ihm	den Laptop.
Ich kaufe	Nina meiner Freundin ihr	die Uhr.
Kaufst du	Rosa und Nina meinen Freundinnen ihnen	das Fahrrad?

Read about verbs with two objects.
- Verbs like *schenken, kaufen, geben, bringen, zeigen, empfehlen, erklären, schicken* ... can have two objects: one referring to a person and one referring to a thing.
- The person is in the dative, the thing is in the accusative.
- Person comes before thing = dative comes before accusative.

1 Welche Verben könnten zwei Objekte haben? Kreuzen Sie an.

essen ___   schenken _X_   trinken ___   geben ___   lesen ___   bringen ___
zeigen ___   finden ___   empfehlen ___   besuchen ___   erklären ___   schicken ___

2 Ergänzen Sie das Objekt im Akkusativ.

1 Ich bringe Peter _den Kaffee_ (● Kaffee).
2 Wir zeigen unseren Freunden
　　　　　　　　　　(● Stadt).
3 Der Trainer erklärt meinem Freund
　　　　　　　　　　(● Übung).

4 Sie hat Paula　　　　　　　　
　　(● Päckchen) geschickt.
5 Sie empfiehlt den Kunden
　　　　　　　　　　(● Tee)
　　aus England.

3 Was passiert bei TechMarkt? Schreiben Sie vier Sätze. Es gibt mehrere Möglichkeiten.

Wer?	2	Wem?	Was?
Tobias	bringen	● Kundin	● Computerspiel
Hanna	zeigen	● Mann	● Drucker
Tim	empfehlen	● Mädchen	● Laptop
Clemens	erklären	● Frau	● Maus

Tobias zeigt der Kundin den Laptop.

4 Possessivartikel im Dativ. Maskulin oder feminin? Ordnen Sie zu.

~~Mutter~~　Bruder　Schwester　Vater　Onkel　Tante　Freundin　Großvater　Mann　Großmutter

meinem	
meiner	_Mutter_

5 Ergänzen Sie _mein-_ im Dativ.

1 Ich gebe _meinem_ Mann einen Kaffee.
2 Ich zeige　　　　　　Mutter eine E-Mail.

3 Ich empfehle　　　　　Bruder ein Restaurant.
4 Ich bringe　　　　　Freundin einen Tee.

6 Ergänzen Sie _ihr_ oder _ihm_.

1 Eva hat Geburtstag. Ich schenke _ihr_
　ein Parfüm.
2 Der Chef braucht die Information.
　Ich schicke　　　　sofort eine E-Mail.

3 Anna möchte feiern. Wir empfehlen　　　　
　den Club in Kreuzberg.
4 Tim kommt heute. Ich zeige　　　　
　die Stadt.

7 Geburtstage! Was schenken Sie wem? Schreiben Sie drei Sätze.

Ich schenke meiner Mutter ein Buch.

19 Ich schenke es ihr.

Verben mit zwei Objekten 2

A Ordnen Sie die Fotos den Sätzen zu.

> **1** .... *Super Laptop! Peer hat Geburtstag. Ich schenke ihn ihm.*

> **2** .... *Cooles Fahrrad! Nina ist total sportlich. Ich schenke es ihr.*

B Lesen Sie.

	Akkusativ Was? → Ding Pronomen	Dativ Wem? → Person	Akkusativ Was? → Ding Nomen
Ich schenke Ich schenke	 ihn	Peer ihm.	den Laptop.
Ich schenke Ich schenke	 es	Nina ihr.	das Fahrrad.

Read about verbs with two objects.

- Verbs can have two objects (person + thing): *Ich gebe   Peer   den Laptop.*
- The person can be replaced by a personal pronoun: *Ich gebe   ihm   den Laptop.*
- The thing can be replaced by a personal pronoun: *Ich gebe   ihn   Peer.*
- Both objects can be replaced by personal pronouns: *Ich gebe   ihn   ihm.*

1 Unterstreichen Sie den <u>Dativ</u> und den <u>Akkusativ</u>.

- ◆ Erzählst du <u>mir</u> <u>die Geschichte</u>?
- ○ Schon wieder!
- ◆ Ach, komm. Erzähl sie mir bitte!

- ▼ Bringst du mir den Saft?
- ■ Warum ich?
- ▼ Ach, Papa! Bring ihn mir doch bitte!

2 Ergänzen Sie die Pronomen im Akkusativ.

1 Du musst deiner Mutter noch den Weg erklären. – Ich habe *ihn* ihr schon erklärt.

2 Du wolltest Clara doch das T-Shirt schenken. – Ich habe _____ ihr schon geschenkt.

3 Wolltest du nicht dem Chef die E-Mail schicken? – Ich habe _____ ihm doch schon geschickt.

3 Schreiben Sie die Sätze nur mit Pronomen.

1 Lisa zeigt dem Mann den Weg.   dem Mann = *ihm*   den Weg = *ihn*
→ *Lisa zeigt ihn ihm.*

2 Die Lehrerin erklärt Simon die Übung.   Simon = _____   die Übung = _____
→ _____

3 Wir empfehlen Clara das Café.   Clara = _____   das Café = _____
→ _____

4 Tom zeigt der Kundin den Drucker.   der Kundin = _____   den Drucker = _____
→ _____

4 Geschenke. Schreiben Sie die Sätze in die Tabelle.

1 schenke / Ich / ein Fahrrad. / meinem Vater

2 schenken / Wir / ein Parfüm. / unserer Mutter

3 meinem Bruder / Ich / einen Laptop. / gebe

4 Ich / meiner Schwester / empfehle / ein Buch.

			Wem?	Was?
1	*Ich*	*schenke*	*meinem Vater*	*ein Fahrrad.*
2				
3				
4				

5 Schreiben Sie die Sätze in 4 mit Pronomen.

			Was?	Wem?
1	*Ich*	*schenke*	*es*	*ihm.*
2				
3				
4				

6 Empfehlungen. Was empfehlen Sie wem? Schreiben Sie.

1 Freund → der Film   *Ja, ich empfehle ihn ihm!*

2 _____ → _____   _____

3 _____ → _____   _____

20 Das sind ihre Kinder.

Possessivartikel

A Lesen und unterstreichen Sie *ihr-*.

Das sind die Eckners, <u>ihre</u> Kinder,
ihre Katze und ihr Hund.

B Lesen Sie A noch einmal und ergänzen Sie.

ich	mein
du	dein
er / es / sie	sein / sein / ihr
wir	unser
ihr	euer
sie / Sie	.... / Ihr

	Nominativ	Akkusativ	Dativ
● maskulin	mein ihr	meinen ihren	meinem ihrem
● neutral	mein ihr	mein ihr	meinem ihrem
● feminin	meine ihr	meine ihre	meiner ihrer
● Plural	meine ihr	meine ihre	meinen ihren

Read about the possessive article.
- Possessive articles show belonging.
- In the singular the endings of the possessive articles correspond to those of *ein-*.

1 Ergänzen Sie *mein-* und *ihr-* im Akkusativ.

	●	●	●	●
Ich liebe	*meinen* Garten.	.... Haus.	.... Stadt.	.... Kinder.
Die Eckners lieben				

2 Ergänzen Sie *mein-* und *ihr-* im Dativ.

	●	●	●	●
Das bin ich mit	*meinem* Sohn.	.... Baby.	.... Tochter.	.... Kindern.
Das sind die Eckners mit				

3 Ergänzen Sie *ihr-* im Akkusativ.

Wen oder was lieben Ben und Lisa? Sie lieben …

1 *ihr* Baby. **2** _____ Job. **3** _____ Eltern. **4** _____ Garten. **5** _____ Wohnung.

4 Ergänzen Sie *ihr-* im Dativ.

Mit wem sprechen Ben und Lisa? Sie sprechen mit …

1 *ihrem* Nachbarn.   **3** _____ Ärztin.   **5** _____ Deutschlehrer.
2 _____ Freunden.   **4** _____ Chef.

5 Ergänzen Sie *ihr-*.

1 Nominativ: Das sind Lisa und Tim. Und das sind *ihr* Hund, _____ Katze und _____ Pony.
2 Dativ: Das sind Anna und Paul mit _____ Baby.
3 Dativ: Herr und Frau Decker stehen vor _____ Haus.
4 Akkusativ: Karl und Emma gehen in _____ Garten.
5 Nominativ: Das sind Herr und Frau Müller. Und das sind _____ Kinder, _____ Sohn Peter und _____ Tochter Susan.

6 Wer ist das? Lisa oder die Kinder? Ordnen Sie zu.

Lisa
die Kinder

a Im Hotel braucht sie <u>ihre</u> Kreditkarte.
b Sie nehmen <u>ihre</u> Fahrräder.
c Wo wohnt sie denn? Können Sie mir <u>ihre</u> Adresse geben?
d Sie brauchen <u>ihre</u> Jacken, wenn sie im Garten spielen. Es ist kalt.
e Wo sind denn <u>ihre</u> Hunde? Sie wollen mit ihnen spazieren gehen.

7 Was ist richtig? Unterstreichen Sie.

1 Herr und Frau Frank lieben *ihre / seine* Kinder sehr.
2 Sie kommt mit *ihrem / Ihrem* Freund.
3 Lisa sucht *seinen / ihren* Pass.
4 Daniel liebt *seine / ihre* Frau.
5 Sie besuchen oft *ihren / ihre* Eltern.

8 Schreiben Sie drei Sätze über Ihre Eltern, Freunde und Kollegen. Wen oder was lieben sie?

Meine Freunde lieben ihre Kinder. _____

_____

_____

21 Bitte unterschreiben Sie dieses Formular.

Demonstrativartikel

A Lesen Sie und unterstreichen Sie *dies-*.

> *Bitte unterschreiben Sie dieses Formular.*

B Lesen Sie A noch einmal und ergänzen Sie.

	Nominativ		Akkusativ		Dativ	
• maskulin	dieser Mann	*der*	diesen Mann	*den*	diesem Mann	*dem*
• neutral	dieses Formular	*das*	.... Formular	*das*	diesem Formular	*dem*
• feminin	diese Frau	*die*	diese Frau	*die*	dieser Frau	*der*
• Plural	diese Männer	*die*	diese Männer	*die*	diesen Männern	*den*

Read about the use of *dies-*.

- *dies-* (this) is placed before a noun and emphasizes it. It is used when pointing at something, for example.
- The endings correspond to those of the definite article.

1 Lesen und unterstreichen Sie die Endungen von *dies-* und ergänzen Sie die Tabelle.

1 Ich möchte den A2-Kurs machen. – Eine Anmeldung für dies<u>en</u> Kurs ist leider nicht mehr möglich.

2 Wo ist denn der Link? – Da musst du dieses Wort anklicken.

3 Wann kommt dieser Zug in Hamburg an? – Um 20:30 Uhr.

4 Wo bekomme ich das? – Dieses Medikament ist nur in der Apotheke erhältlich.

5 Du, das Navi sagt doch „geradeaus". – Ich nehme aber lieber diese Straße hier.

6 Kommt er denn noch? – Nein, bei diesem Wetter kommt er nicht.

	Nominativ	Akkusativ	Dativ
•	.... Zug	*diesen* Kurs	diesem Zug
•	.... Medikament	.... Wort	.... Wetter
•	diese U-Bahn	.... Straße	dieser S-Bahn

2 Tom beschreibt seine Familie. Schreiben Sie Sätze zu den Fotos.

● Mann → ● Vater
*Dieser Mann hier ist
mein Vater.*

● Junge → ● Sohn

● Frau → ● Mutter

● Mädchen → ● Tochter

3 Wie schrecklich! Ergänzen Sie *dies-* im Nominativ.

1 *Diese* ● Pizza schmeckt gar nicht!
2 _____ ● Chefin ist schrecklich!
3 _____ ● Kinder sind zu laut!
4 _____ ● Hotel ist viel zu teuer!
5 _____ ● Bus ist so langsam!
6 _____ ● Aufgabe ist zu schwer!

4 *diesem* oder *dieser*? Was ist richtig? Unterstreichen Sie.

1 Kommst du mit? – Nein, bei *diesem* / *dieser* ● Regen gehe ich nicht raus.
2 Mit *diesem* / *dieser* ● Ticket können Sie bis Düsseldorf fahren. – Super, danke!
3 Gibt es einen Aufzug? – Nein, in *diesem* / *dieser* ● Haus gibt es keinen Aufzug.
4 Wann ist die Prüfung? – Ich glaube, noch in *diesem* / *dieser* ● Woche.
5 Das Leben in *diesem* / *dieser* ● Stadt ist wirklich teuer. – Ja, das stimmt!
6 Wo sind denn die Texte? – Die Texte finden Sie in *diesem* / *dieser* ● Datei.
7 Kann ich bitte Zimmer 21 haben? – Ja, gerne. Von *diesem* / *dieser* ● Zimmer hat man
einen tollen Blick auf den Park.

5 Manche Dinge mögen wir lieber. Ergänzen Sie *dies-* im Akkusativ.

1 Ich mag lieber *diesen* ● Wein.
2 Wir essen lieber _____ ● Käse.
3 Er möchte lieber _____ ● Auto.
4 Sie nimmt lieber _____ ● Smartphone.
5 Ich trinke lieber _____ ● Bier.
6 Ich nehme lieber _____ ● Wohnung.
7 Isst du _____ ● Pizza lieber?
8 Sie sehen _____ ● Film am liebsten.

6 Im Restaurant. Sie sind nicht zufrieden. Beschweren Sie sich und benutzen Sie *dies-*.

Dieser Wein schmeckt nicht!

22 Ich schreibe ihm.

Personalpronomen im Akkusativ und Dativ

A Lesen Sie und unterstreichen Sie die
maskulinen Personalpronomen.

> Das ist mein Freund. *Er* heißt
> Ben. Ich schreibe ihm gerade.
> Denn ich möchte ihn treffen.

B Lesen Sie A noch einmal und ergänzen Sie.

Nominativ	Akkusativ	Dativ
ich	mich	mir
du	dich	dir
er / es / sie	ihn / es / sie	ihm / ihm / ihr
wir	uns	uns
ihr	euch	euch
sie / Sie	sie / Sie	ihnen / Ihnen

Das ist Ben. Er ist mein Freund.
Ich treffe ihn.
Ich schreibe ihm.

Ben ⟨ er / ihn / ihm

Read about personal pronouns.

- Personal pronouns in the accusative follow verbs such as *lieben, mögen, nehmen, finden, sehen, kennen, einladen ...*
- Personal pronouns in the dative follow verbs such as *gefallen, helfen, gehören, danken ...*

1 Ergänzen Sie die Personalpronomen im Akkusativ und im Dativ.

	1 sie (Eva)	2 ich	3 ihr	4 wir	5 er	6 sie (Eva + Tim)	7 Sie (Frau Schmidt)
Für wen ist das?	für *sie*	für	für	für	für	für	für
Wem gefällt das?	*ihr*	mich	euch	uns	ihm	ihnen	Ihr

2 Antworten Sie. Benutzen Sie die Personalpronomen im Dativ.

~~mir~~ ~~ihm~~ ~~uns~~ ~~ihnen~~

1 Wie geht es dir? *Es geht mir gut.*

2 Wie geht es Carla und Ben? Es geht ihnen gut

3 Wie geht es euch? Es geht uns gut

4 Wie geht es Ihrem Onkel? Es geht ihm gut

3 Personalpronomen im Dativ. Was ist richtig? Unterstreichen Sie.

1 Das Haus gehört der Nachbarin. Der Garten gehört ihm / _ihr_ auch.
2 Mehmet wohnt schon lange in Paris. Die Stadt gefällt _ihm_ / ihr.
3 Der Deutschlehrer gibt den Schülern Hausaufgaben. Er gibt euch / _ihnen_ auch einen Test.
4 Uns gefällt das Hotel nicht. Und was meint ihr? Gefällt es _euch_ / ihnen?
5 Soll ich dich anrufen? Oder soll ich mir / _dir_ lieber schreiben?

4 Lesen Sie den Blog und ergänzen Sie die Personalpronomen im Akkusativ.

www.meinleben.com

Wir wohnen in Hamburg. Meine Freundin heißt Steffie. Ich liebe (1) _sie_ (Steffie) und möchte
(2) _sie_ (Steffie) bald heiraten. Steffies Eltern wohnen in Berlin, aber ich kenne
(3) _euch_ (die Eltern) noch nicht. Sie haben (4) _uns_ (Steffie und mich)
eingeladen. Vielleicht fahren wir nächstes Wochenende hin und besuchen (5) _euch_
(die Eltern). In fünf Monaten bekommen wir ein Baby. Es ist ein Mädchen und wir lieben
(6) _es_ (das Baby) jetzt schon sehr.
Steffies Bruder, Carl, wohnt auch hier in Hamburg. Ich kenne (7) _dir_ (der Bruder)
gut und er hilft mir manchmal in meiner Firma. Unsere Freunde, Carl und seine Frau Sophie,
machen morgen eine Party. Wir mögen (8) _sie_ (Carl und Sophie) sehr und freuen
uns schon.

5 Auf einer Party. Akkusativ oder Dativ? Ergänzen Sie.

~~euch~~ ~~sie~~ sie ~~dir~~ ~~dich~~ ~~ihn~~ ~~ihm~~ dir ~~ihnen~~ ~~mir~~ ~~ihr~~ ~~uns~~

1 Gefällt es _euch_ hier? – Ja, es gefällt _uns_ gut. ✓
2 Und wie gefällt _dir_ die Party, Frau Decker? – Sie gefällt _mir_ sehr. ✓✓
3 Magst du Lisa eigentlich? – Ja, ich finde _sie_ richtig nett. ✓
4 Hast du Jakob schon gesehen? – Nein, ist er hier? Ich habe _ihn_ schon lange nicht mehr gesehen. ✗
5 Wow! Die Jacke steht _dir_ wirklich gut. – Danke. Hast du auch meine neue Jeans gesehen? ✗
6 Sieh mal, da ist Peter. – Ja, aber es geht _ihm_ nicht gut. Vielleicht tut _ihm_ etwas weh. ✓✓
7 Hast du Daniela und Harry gesehen? – Nein, ich finde _sie_ nicht. ✗
8 Schön, dass du hier bist. Ich habe _dich_ lange nicht gesehen. Du siehst gut aus. – Ich danke _dir_ ✗✗

6 Machen Sie zwei Komplimente mit *gefallen* und *schmecken*.

Deine Jeans gefällt mir. Dein Kuchen schmeckt mir.

23 Ist jemand zu Hause?

Indefinitpronomen 1

A Lesen Sie.

Ist jemand zu Hause?

Nein, niemand ist da. Alle sind weg.

B Lesen Sie A noch einmal und ergänzen Sie.

niemand	Da ist niemand.
jemand	Ist _____ zu Hause?
alle	_____ sind weg.

Read about indefinite pronouns.

- *niemand* (nobody) and *jemand* (somebody) refer to persons. *alle* (everybody / all) refers to persons or things.
- With *niemand / jemand* we use the 3rd person singular of the verb: *Niemand kommt. Jemand singt.*
- With *alle* we use the 3rd person plural of the verb: *Alle kommen.*

1 Ergänzen Sie die Verben in der richtigen Form.

1 (kommen)	Niemand *kommt*	Jemand *kommt*	Alle *kommen*
2 (haben)	Niemand _____ Zeit.	Jemand _____ Zeit.	Alle _____ Zeit.
3 (sein)	Niemand _____ hier.	Jemand _____ hier.	Alle _____ hier.
4 (sprechen)	Niemand _____ Englisch.	Jemand _____ Englisch.	Alle _____ Englisch.

2 Antworten Sie mit *niemand*.

1 Kommen heute deine Freunde? – Nein, heute *kommt niemand.*

2 Sind viele Leute auf der Party? – Nein, auf der Party _____

3 Spricht jemand Spanisch? – Nein, Spanisch _____

3 Im Deutschkurs. *niemand* oder *alle*? Ergänzen Sie.

1 Die Übung ist so schwer! – Ja, die kann sicher _niemand_.
2 Haben .... ein Buch? – Ja, sicher!
3 Es ist schon spät. Da kommt sicher .... mehr. – Oh, glaubst du?
4 Wir sollen viel sprechen. – Ja, aber .... sagt etwas.
5 Hier im Kurs können .... auch Englisch. – Das ist gut.
6 Sind .... mit der Übung fertig? – Nein, noch nicht.

4 Lesen Sie die Dialoge und ordnen Sie zu. Unterstreichen Sie *jemand*.

1 Wo ist denn die Tasche? Hat sie <u>jemand</u> gefunden?   a Ja, da liegt es doch.
2 Hat jemand mein Handy gesehen?   b Ja, klar. Ich bin da.
3 Ich komme morgen. Ist denn jemand zu Hause?   c Nein, sie ist weg.
4 Hat jemand angerufen?   d Ja, deine Mutter.

5 Schreiben Sie Fragen mit *jemand*.

1 • Kamera / sehen   _Hat jemand meine Kamera gesehen?_
2 • Deutschbuch / finden   ....
3 • Kugelschreiber / nehmen ....
4 • Schlüssel / sehen   ....

6 *niemand, jemand* oder *alle*? Setzen Sie ein.

1 Kann mir bitte _jemand_ helfen? – Ja, gleich.
2 Wir sind heute .... da. – Ja, das ist super!
3 Wo ist meine Jacke? Hat .... meine Jacke gesehen? – Da hängt sie doch.
4 Ich war allein im Club. – Warum ist denn .... mitgekommen?
5 Da waren viele Menschen. Und .... mussten warten. – Ja, das war wirklich blöd.
6 Ich habe kein Auto. Kann mich .... mitnehmen? – Ja, sicher. Wohin musst du denn?
7 Das Café war komplett leer. Da war .... – Ja, das ist montags oft so.
8 Wie war das Fest? – Schön, aber leider waren nicht .... da.

7 Sie brauchen Hilfe. Schreiben Sie drei Fragen mit Indefinitpronomen.

Kann mir hier jemand den Weg zur U-Bahn zeigen?
....
....

24 Hier sind noch welche.
Indefinitpronomen 2

A Lesen Sie und ergänzen Sie *einen* und *welche*.

Nein, hier sind doch ....

Brauchen wir noch Nudeln?

Einen Apfel?! – Ja, ich habe ....

B Lesen Sie A noch einmal und ergänzen Sie.

	Nominativ		
● maskulin	Hier ist noch	einer.	→ de**r** Apfel
● neutral		eins.	→ da**s** Brötchen
● feminin		eine.	→ di**e** Banane
● Plural	Hier sind doch	....	→ di**e** Nudeln

	Akkusativ		
● maskulin	Ich habe	....	→ de**n** Apfel
● neutral		eins.	→ da**s** Brötchen
● feminin		eine.	→ di**e** Banane
● Plural	Sie hat noch	welche.	→ di**e** Nudeln

Read about indefinite pronouns.
- *ein-* (one) refers to an unspecific thing.
- *ein-* replaces a singular noun: *Hier ist doch ein Apfel.* → *Hier ist doch einer.*
- *welche* replaces a plural noun: *Hier sind doch Nudeln.* → *Hier sind doch welche.*

1 Nominativ. Ordnen Sie zu.

1 Ein ● Apfel?
2 Ein ● Brot?
3 Eine ● Zitrone?
4 Und ● Bananen?

a Ja, wir haben noch eine.
b Ja, hier sind doch welche.
c Ja, da ist noch einer.
d Ja, hier ist doch eins.

2 In der Küche. Ergänzen Sie *ein-* oder *welche* im Nominativ.

1 Haben wir noch ein Messer? – Ja, hier ist doch *eins* .
2 Haben wir noch Eier? – Ja, hier sind ⎯⎯⎯⎯⎯⎯ .
3 Ist da noch eine Tüte? – Ja, hier ist noch ⎯⎯⎯⎯⎯⎯ .
4 Brauchen wir denn Tomaten? – Nein, hier sind ⎯⎯⎯⎯⎯⎯ .
5 Sind noch Äpfel im Kühlschrank? – Ja, aber da ist nur noch ⎯⎯⎯⎯⎯⎯ .
6 Gibt es noch Brötchen? – Ja, aber hier ist nur noch ⎯⎯⎯⎯⎯⎯ .

3 Ich auch …! Ergänzen Sie *ein-* und *welche* im Akkusativ.

Ich habe …
1 ● ein Haus in Frankreich.   Ach ja! In Frankreich habe ich auch *eins* .
2 ● Freunde in New York.   Wirklich? In New York habe ich auch ⎯⎯⎯⎯⎯ .
3 ● eine Wohnung in Monaco.   In Monaco habe ich natürlich auch ⎯⎯⎯⎯⎯ .
4 ● einen Freund in Prag.   Klar! In Prag habe ich auch ⎯⎯⎯⎯⎯ .

4 Lehrerin und Schüler im Deutschkurs. Ergänzen Sie.

einen   einen   einer   eins   ~~welche~~

Lehrerin: So, können wir bitte anfangen? Sind jetzt alle da?
Kerstin: Nein, es fehlen noch (1) *welche* .
Lehrerin: Ja, aber wir warten jetzt nicht mehr. Wir fangen jetzt mit Übung 1 an. Haben alle
            das Blatt mit den Übungen?
Kerstin: Nein, ich brauche noch (2) ⎯⎯⎯⎯⎯ für Melissa.
Lehrerin: Okay, hier bitte. Und haben jetzt auch alle einen Stift?
Daniel: Nein, hätten Sie vielleicht noch (3) ⎯⎯⎯⎯⎯ für mich?
Lehrerin: Hier, bitte. So, jetzt Übung 1. Ja, Daniel, was ist los?
Daniel: Ist vorne noch ein Platz frei? Ich höre hier hinten nichts.
Lehrerin: Ja, klar, hier ist noch (4) ⎯⎯⎯⎯⎯ frei. So, und jetzt Übung 1. Ihr schreibt jetzt
            einen Satz mit … Ja, Kerstin, bitte?
Kerstin: Kann ich nicht schon alle Sätze schreiben?
Lehrerin: Nein, schreibt bitte jetzt nur (5) ⎯⎯⎯⎯⎯ , dann sehen wir uns die Lösung an und
            machen weiter.

5 Was haben Sie, und was haben auch Ihre Freunde? Schreiben Sie zwei Sätze.

Ich habe ein Fahrrad. Meine Freundin Britta hat auch eins.

⎯⎯⎯⎯⎯⎯⎯⎯⎯⎯⎯⎯⎯⎯⎯⎯⎯⎯⎯⎯⎯⎯⎯⎯⎯⎯⎯⎯⎯⎯⎯⎯⎯⎯
⎯⎯⎯⎯⎯⎯⎯⎯⎯⎯⎯⎯⎯⎯⎯⎯⎯⎯⎯⎯⎯⎯⎯⎯⎯⎯⎯⎯⎯⎯⎯⎯⎯⎯

25 Wem gehört das Auto?

Fragepronomen 1

A Ordnen Sie die Bilder den Dialogen zu.

1 _A_ Wem gehört das Auto? – Meinem Freund.
2 ...... Wen sucht sie? – Ihren Mann.
3 ...... Was sucht sie? – Ihren Schlüssel.

B Lesen Sie A noch einmal und ergänzen Sie.

Akkusativ (Person)	Wen sucht sie?	Sie sucht *ihren Mann.*
Akkusativ (Ding)	Was sucht die Frau?	Sie sucht *ihren Schlüssel.*
Dativ (Person)	.... gehört das Auto?	Es gehört *meinem Freund.*

Read about question words.

- When asking about something in the accusative, *Was?* (What?) is used. Typical verbs that go with *Was?* are *machen, suchen, nehmen* …
- *Wen?* (Who?) is used when asking about a person in the accusative.
- *Wem?* (Whom?) is used when asking about a person in the dative. Typical verbs that go with *Wem?* are *gehören, danken, schreiben, schenken, geben* …

1 Unterstreichen Sie die Endungen der Fragewörter und Possessivartikel.

1 W<u>en</u> liebst du? – Mein<u>en</u> Freund.
2 Wem gehört die Uhr? – Meinem Freund.

3 Wen suchen Sie? – Meinen Chef.
4 Wem schreiben Sie? – Meinem Chef.

2 Schreiben Sie Fragen.

1 Ich nehme einen Wein.   *Und was nimmst du?*
2 Ich rufe Mira an.   ....
3 Ich danke meinen Eltern.   ....
4 Ich esse eine Pizza.   ....

3 Ordnen Sie zu.

1 Wen kennst du hier?   **a** Meine Schwester, sie kommt gerne mit.
2 Wen möchten Sie auf die Party   **b** Frau Schulz, aber sie ist leider nicht hier.
   mitnehmen?   **c** Ich sehe meine Kollegen und die Chefin.
3 Wen hat der Chef gesucht?   **d** Ich kenne nur Carla und ihre Freundin.
4 Wen sehen Sie auf dem Foto?

4 *Wen?* oder *Was?* Ergänzen Sie.

1 Entschuldigung, _was_ suchen Sie? – Ich suche den *Schlüssel*.
2 Sagt mal, _____ sucht ihr denn? – Wir suchen unseren *Sohn*. Er muss doch hier sein.
3 _____ möchten Sie sprechen? – Ich möchte gerne *Frau Martin* sprechen.
4 Und _____ möchtest du noch kaufen? – Einen *Tisch* für das Wohnzimmer.
5 Und _____ bringst du mit? – Vielleicht eine *Flasche Wein*.
6 _____ bringst du eigentlich mit? – *Emilia*, meine Freundin.

5 Steht die Person nach folgenden Verben im Akkusativ (A) oder Dativ (D)? Markieren Sie.

besuchen _A_   gehören _D_   brauchen _____   schreiben _____   schenken _____
geben _____   heiraten _____   erklären _____   untersuchen _____   helfen _____
verstehen _____   suchen _____   danken _____

6 Akkusativ oder Dativ? Unterstreichen Sie die richtige Form.

1 <u>Wen</u> / Wem besucht ihr heute? – Meine Eltern.
2 Wen / Wem gehört das Buch? – Meinem Freund.
3 Wen / Wem schreiben Sie eine E-Mail? – Dem Chef.
4 Wen / Wem brauchen wir noch im Team? – David, Emma und einen Programmierer.
5 Wen / Wem schenken Sie das Parfüm? – Meiner Mutter.
6 Und wen / wem geben Sie das Geld? – Meinem Freund.
7 Wen / Wem heiratet sie denn? – Einen sehr netten Mann aus unserem Deutschkurs.
8 Wen / Wem hat der Lehrer das erklärt? – Nur mir und Sandra.
9 Wen / Wem musst du am Wochenende helfen? – Meinem Opa.
10 Wen / Wem möchte der Arzt untersuchen? – Den Jungen hier vorne.
11 Wen / Wem verstehen Sie nicht? – Die Chefin. Sie spricht so schnell.

7 Wem gehört was in Ihrer Familie? Schreiben Sie drei Fragen und Antworten.

Wem gehört das neue Handy? – Es gehört meiner Tochter.

_____

_____

26 Welchen Sport magst du?

Fragepronomen 2

A Lesen Sie und unterstreichen Sie *welch-*.

> ***Teste deine Persönlichkeit!***
>
> <u>Welche</u> Farbe ist deine Lieblingsfarbe? ☐ blau ☐ rot ☐ schwarz
> Welchen Sport magst du? ☐ Fußball ☐ Handball ☐ Basketball
> Welche Musik ist deine Lieblingsmusik? ☐ Pop ☐ Hip-Hop ☐ Jazz
> Welcher Film ist dein Lieblingsfilm? ☐ Titanic ☐ Pulp Fiction ☐ Star Wars
> Welches Land magst du am liebsten? ☐ Spanien ☐ Italien ☐ Österreich

B Lesen Sie A noch einmal und ergänzen Sie.

	Nominativ		Akkusativ	
● maskulin	Welcher Sport?	*der*	_____ Sport?	*den*
● neutral	Welches Land?	*das*	_____ Land?	*das*
● feminin	_____ Farbe?	*die*	Welche Farbe?	*die*
● Plural	Welche Filme?	*die*	Welche Filme?	*die*

Read about question words.

- *Welch-* is a question word. It is placed before the noun and is used just like an article.
- We use it when asking about a thing or a person that may be part of a group.

1 Ergänzen Sie *welch-* im Nominativ.

1 *Welche* ● Band gefällt dir am besten? – Die Band aus England.
2 _____ ● Film ist dein Lieblingsfilm? – *Titanic* mit Kate Winslet.
3 _____ ● Stadt ist deine Lieblingsstadt? – Paris.
4 _____ ● Datum ist heute? – Heute ist der 23. Januar.
5 _____ ● Tag ist heute? – Heute ist Dienstag.

2 Fragen im Sprachkurs. Was ist richtig? Unterstreichen Sie.

1 *Welcher / <u>Welches</u> / Welche* Wort ist richtig? – Dieses Wort hier.
2 *Welcher / Welches / Welche* Wörter sind neu? – Nur die beiden hier.
3 *Welcher / Welches / Welche* Text gefällt dir denn am besten? – Dieser Text hier.
4 *Welcher / Welches / Welche* Satz ist falsch? – Ich glaube, dieser Satz hier.
5 *Welcher / Welches / Welche* Frage kommt jetzt? – Ich denke, Frage 5.
6 *Welcher / Welches / Welche* Endung ist falsch? – Diese Endung hier, glaube ich.

3 Fragen im Restaurant. Wählen Sie die richtige Form von *welch-* im Akkusativ.

1 Welchen
2 Welches
3 Welche

a ● Wein können Sie empfehlen? – Diesen Wein hier aus Frankreich.
b ● Vorspeisen haben Sie? – Salate, Suppen …
c ● Dessert können Sie empfehlen? – Dieses hier von der Karte.
d ● Beilage empfehlen Sie? Pommes frites oder Gemüse? – Gemüse.

4 Akkusativ. Ergänzen Sie *e*, *en* oder *es*.

1 Welch*en* Film meinst du? – Den alten Film von Roman Polanski.
2 Welch........ Fernsehshow siehst du gerne? – „Wer wird Millionär".
3 Welch........ Sehenswürdigkeiten gibt es in Berlin? – Das Brandenburger Tor, die Museumsinsel …
4 Welch........ Buch suchst du denn? – Das Arbeitsbuch für den Deutschkurs.
5 Welch........ Sprachen sprechen Sie? – Deutsch, Englisch und Spanisch.
6 Welch........ Kurs möchten Sie machen? – Den B1-Kurs ab September.
7 Welch........ Hausnummer haben Sie? – Die dreizehn.
8 Welch........ Fach magst du in der Schule am liebsten? – Deutsch.

5 Fragen zu den Verkehrsmitteln. Sortieren und schreiben Sie.

1 Verkehrsmittel / Welche / Sie / benutzen?   *Welche Verkehrsmittel benutzen Sie?*
2 Bus / wir? / nehmen / Welchen
3 Welches / Auto / dir? / gehört
4 ist / Welche / schneller? / S-Bahn zum Flughafen
5 Busse / Welche / halten hier?

6 Lesen Sie die E-Mail und ergänzen Sie *welch-* in der richtigen Form.

Liebe Claudia,
ich habe gestern meine Schwester besucht. Du erinnerst dich, sie hat viel Geld, aber noch mehr Probleme. (1) *Welche* Probleme, fragst du dich jetzt bestimmt. Naja, sie hat sicher ganz andere als ich. Hier ein paar Beispiele:
(2) .... Urlaub soll ich buchen? Karibik oder Südfrankreich?
(3) .... Auto passt besser zu mir? Mercedes oder BMW?
(4) .... Bluse nehme ich? Die von Dior oder Chanel?
Also, diese Probleme möchte ich haben!
Deine Nina

7 Was sind die Lieblingsdinge Ihrer Freunde? Schreiben Sie zwei Fragen.

Welche Pizza ist deine Lieblingspizza?

27 Woran denkst du?

Fragepronomen 3

A Lesen Sie das Gedicht und unterstreichen Sie die Fragewörter.

Wovon?

Wovon träumst du nachts?
Wofür interessierst du dich noch?
Worauf freust du dich morgen?
Woran denkst du jetzt?

B Lesen Sie A noch einmal und ergänzen Sie.

Fragepronomen → Dinge: Wo + (r) + Präposition		
mit Dativ		
träumen **von**	→	.... träumst du nachts? – **Von** einem Garten.
mit Akkusativ		
sich interessieren **für**	→	.... interessierst du dich? – **Für** den Kurs.
sich freuen **auf**	→	.... freust du dich noch? – **Auf** den Job.
denken **an**	→	.... denkst du jetzt? – **An** den Urlaub.
sich kümmern **um**	→	Worum kümmerst du dich? – **Um** die Party.
sich ärgern **über**	→	Worüber ärgerst du dich? – **Über** die Preise.

Read about question words.

- When we ask a question with a prepositional verb, the preposition is part of the question.
- When we ask about things the question word is formed as follows:
  wo + preposition. If this results in two vowels following each other, we add an *r*: wor̲auf.

1 Bilden Sie Fragewörter.

1 wo + für — *wofür* **4** wo + um — ....
2 wo + an — *woran* **5** wo + über — ....
3 wo + auf — .... **6** wo + von — ....

27

2 Ordnen Sie die Fotos den Sätzen zu.

1 _B_ Wovon träumt sie?   **2** _____ Worüber ärgert sie sich?   **3** _____ Worauf freuen sie sich?

 A

 B

 C

3 Ergänzen Sie die Fragewörter.

1 _Wofür_ interessierst du dich denn? – Für Sport.
2 _____ denkst du am meisten? – An meine Prüfungen.
3 _____ freust du dich am meisten? – Auf das Wochenende.
4 _____ ärgerst du dich oft? – Über die S-Bahn.
5 _____ beschwerst du dich manchmal? – Über das Essen in der Kantine.
6 _____ träumst du oft? – Von einem großen Haus.
7 _____ kümmerst du dich denn? – Um alles! Um das ganze Projekt.

4 Sortieren Sie und schreiben Sie Fragen.

1 interessiert sich / Wofür / dein Bruder?   _Wofür interessiert sich dein Bruder?_
2 kümmert er sich / Worum ?   ....
3 in der Firma? / ärgern Sie sich   ....
am meisten / Worüber   ....
4 Worauf / in diesem Jahr? / freust du dich   ....
5 manchmal? / träumen Sie / Wovon   ....
6 denkst du / Woran / die ganze Zeit?   ....

5 Ordnen Sie die Antworten den Fragen in 4 zu.

1 Über die schlechte Teamarbeit. _____   **4** An mein Land und an meine Heimat. _____
2 Nur für Computer. _1_   **5** Auf den Urlaub in Spanien. _____
3 Von einem schönen Haus am Meer. _____   **6** Um nichts. Auch nicht um seine Arbeit. _____

6 Dinge! Was möchten Sie Ihre Kollegen fragen? Schreiben Sie vier Fragen.

Wovon träumst du?
....

28 An wen denkst du?

Fragepronomen 4

A Lesen Sie das Gedicht. Unterstreichen Sie die Fragewörter.

> ## Von wem?
>
> Von wem träumst du nachts?
> Für wen interessierst du dich?
> Auf wen freust du dich?
> An wen denkst du jetzt?

B Lesen Sie A noch einmal und ergänzen Sie.

Fragepronomen → Personen: Präposition + wen / wem		
mit Dativ		
träumen **von**	→	.... träumst du? – **Von** meinem Freund.
telefonieren **mit**	→	**Mit** wem telefonierst du? – **Mit** dem Lehrer.
mit Akkusativ		
sich interessieren **für**	→	.... interessierst du dich? – **Für** den Autor.
sich freuen **auf**	→	.... freust du dich? – **Auf** meine Freundin.
denken **an**	→	.... denkst du? – **An** meinen Sohn.
sich kümmern **um**	→	**Um** wen kümmerst du dich? – **Um** die Kinder.
sich ärgern **über**	→	**Über** wen ärgerst du dich? – **Über** den Nachbarn.

Read about question words.

- When we ask a question with a prepositional verb, the preposition is part of the question.
- When we ask about persons the preposition is placed before the usual question word.

1 Geht es um Dinge (D) oder Personen (P)? Markieren Sie.

1 Von wem träumst du? – Von meinem neuen Freund. _P_
2 An wen denkst du denn schon wieder? – An meine Freundin. ....
3 Und worüber ärgerst du dich? – Über den Service hier. ....
4 Woran denkst du wieder? – An meine Prüfungen. ....
5 Um wen kümmerst du dich heute? – Um Petras Kinder. ....

2 Dinge oder Personen? Sortieren Sie die Fragewörter.

| ~~wofür~~ woran an wen worauf mit wem worüber von wem worum um wen |

Dinge?	*wofür*
Personen?	

28

3 Person oder Ding? Schreiben Sie Fragen.

1 Er denkt an seine Freundin.
 An wen denkt er?

Er denkt an sein Auto.
 Woran denkt er?

2 Die Kinder freuen sich auf Opa.

Die Kinder freuen sich auf den Urlaub.

3 Sie träumt von einem Haus am Meer.

Sie träumt von David.

4 Sie ärgert sich über die Preise.

Sie ärgert sich über die Nachbarin.

4 Nach Personen fragen. Ergänzen Sie *wen* oder *wem*.

1 Ich träume von ihm. → Von *wem* ?
2 Er denkt an sie. → An _____?
3 Ich ärgere mich über dich. → Über _____?
4 Er telefoniert mit ihr. → Mit _____?

5 Er kümmert sich um euch. → Um _____?
6 Wir interessieren uns für sie. → Für _____?
7 Sie freut sich auf ihn. → Auf _____?
8 Er trifft sich mit ihnen. → Mit _____?

5 Ergänzen Sie.

mit wem   über wen   über wen   ~~von wem~~   um wen

1 *Von wem* träumst du denn gerade? – Von meinem neuen Freund.
2 _____ hat er sich beschwert? – Über seine neue Kollegin.
3 _____ ärgerst du dich denn? – Mal wieder über meinen Chef.
4 _____ musst du dich kümmern? – Um die Kinder.
5 Und _____ telefoniert er? – Mit seiner Frau.

6 Sortieren Sie und schreiben Sie Fragen.

1 denken Sie / An wen / gerade?   *An wen denken Sie gerade?*
2 Über wen / am meisten? / ärgern Sie sich
3 träumst du / Von wem / nachts?
4 freust du dich / denn so? / Auf wen

7 Ordnen Sie die Antworten den Fragen in 6 zu.

1 Über meinen Vater. _____
2 An meine Frau. *1*

3 Auf meine Familie. _____
4 Von meinem Freund. _____

8 Personen! Was möchten Sie Ihre Kollegen fragen? Schreiben Sie vier Fragen.

Auf wen freust du dich?

29 Ich bin schneller als du.

Komparation und Vergleichssätze

A Lesen Sie und unterstreichen Sie die Adjektive.

Ich bin schnell.

Aber ich bin schneller als du.

B Lesen Sie A noch einmal und ergänzen Sie.

+	++ Komparativ	+	++ Komparativ
glücklich	glücklicher	gut	besser
klein	kleiner	viel	mehr
schnell	....	gerne	lieber
alt	älter	hoch	❗höcher = höher
groß	größer	teuer	❗teuerer = teurer
jung	jünger		

Paula ist kleiner als Alexander.	

Tim ist genauso groß wie Carlo. Tim ist so groß wie Carlo.	

Read about the comparative.

- We use the comparative when comparing things to each other. To form the comparative, we add an -er to the adjective: *kleiner*.
- In short adjectives the vowel often changes to an umlaut: *a → ä (alt – älter)*, *o → ö (groß – größer)*, *u → ü (jung – jünger)*.
- Some adjectives have irregular forms, like *hoch – höher* and *teuer – teurer*.
- To express that persons or things are identical we use *genauso ... wie* or *so ... wie*.

1 Ergänzen Sie den Komparativ.

1 klein *kleiner* 4 teuer .... 7 hoch .... 10 viel ....
2 alt .... 5 früh .... 8 reich .... 11 gut ....
3 billig .... 6 gerne .... 9 groß .... 12 jung ....

29

2 Städte. Ergänzen Sie den Komparativ.

1 Wien ist _größer_ (groß) als München.
2 Berlin hat _____ (viel) Einwohner als Wien.
3 Zürich ist _____ (klein) als Berlin.
4 Die Häuser in New York sind _____ (hoch) als in Berlin.
5 Die Wohnungen in München sind _____ (teuer) als die Wohnungen in Köln.
6 Ich mag Berlin gerne. Aber Wien mag ich _____ (gerne).
7 Nürnberg ist _____ (alt) als München.

3 Und sie ...? Ergänzen Sie.

1 Ich esse gerne Italienisch. (+)   Sie _isst lieber_ Französisch. (++)
2 Ich bin Architekt und verdiene gut. (+)   Sie ist Ärztin _____. (++)
3 Ich arbeite viel und schlafe wenig. (+)   Sie _____ und
   _____. (++)
4 Ich wohne gerne in Berlin. (+)   Sie _____ in Wien. (++)

4 Alles gleich. Schreiben Sie.

1 Tim = Marco / schnell laufen   _Tim läuft genauso schnell wie Marco._
2 Emilia = Lena / alt sein   _____
3 Kaffee = Tee / gut schmecken   _____
4 ich = du / glücklich sein   _____

5 *als* oder *wie*? Was ist richtig? Unterstreichen Sie.

1 Ist Tim älter <u>als</u> / wie du? – Nein, er ist so alt als / wie ich.
2 Magst du auch lieber Nudeln? – Nein, ich esse Nudeln genauso gerne als / wie Kartoffeln.
3 Wie ist das Wetter bei euch in Schweden? Besser als / wie bei uns? –
   Nein, es ist genauso schlecht als / wie hier.

6 Clara und ich. Schreiben Sie.

1 (schnell laufen)   _Clara läuft schneller als ich._
2 (viel verdienen)   _Sie_ _____
3 (gut malen)   _____
4 (groß sein)   _____

7 Und Sie? Wo sind Sie besser, schneller ... als andere? Schreiben Sie drei Sätze.

Ich spreche besser Deutsch als mein Bruder.

_____

E

30 Zuhause ist es am schönsten.

Superlativ

ENTDECKEN

A Lesen Sie und unterstreichen Sie die Adjektive.

Spazierengehen ist _schön._

Im Garten ist es _schöner._

Zuhause ist es am _schönsten._

B Lesen Sie A noch einmal und ergänzen Sie.

+	++	+++ Superlativ
glücklich	glücklicher	am glücklichsten
schön	schöner	_____
jung	jünger	am jüngsten
warm	wärmer	am wärmsten
groß	größer	!am größten
laut	lauter	!am laut_e_sten

+	++	+++ Superlativ
gut	besser	am besten
viel	mehr	am meisten
gerne	lieber	am liebsten
hoch	höher	am höchsten
teuer	teurer	am teuersten

Read about the superlative.

- The superlative is the highest form of the comparison. To form it, we add _am ... -sten._
- In short adjectives the vowel often changes to an umlaut: a → ä _(alt – am ältesten)_, o → ö _(groß – am größten)_, u → ü _(jung – am jüngsten)._
- After ß in _groß_ the ending is _-ten: größten._
- An e is added if an adjective ends with _t, d_ or _z: kalt – am kältesten._

ÜBEN

1 Ergänzen Sie die fehlenden Formen.

1 glücklich _glücklicher_ am glücklichsten
2 gut besser _____
3 groß größer _____
4 billig _____ am billigsten
5 gerne lieber _____
6 fleißig _____ am fleißigsten
7 viel mehr _____
8 hoch _____ am höchsten

64

30

2 -sten oder -esten? Schreiben Sie den Superlativ.

1 teuer	am teuer*sten*	**4** ruhig	am ruhig_____	**7** alt	am ält_____
2 sympathisch	am sympathisch_____	**5** kalt	am kält_____	**8** reich	am reich_____
3 kurz	am kürz_____	**6** nett	am nett_____	**9** weit	am weit_____

3 Ergänzen Sie den Komparativ und den Superlativ. Vergessen Sie nicht den Umlaut.

1 dumm	*dümmer, am dümmsten*	**4** lang	_____
2 hart	_____	**5** stark	_____
3 klug	_____	**6** warm	_____

4 Superlative. Ergänzen Sie.

1 Kaffee mag ich lieber als Tee, *aber Limonade mag ich am liebsten* (Limonade)
2 Lisa ist fleißiger als Kim, _____. (Lena)
3 Carl ist netter als David, _____. (Paul)
4 Wien ist größer als München, _____. (Berlin)
5 In Köln sind die Mieten teurer als in Kiel, _____. (in München)
6 Hannah hat mehr Geld als Leonie, _____. (Paula)

5 Drei Brüder. Ergänzen Sie den Komparativ oder den Superlativ.

Ich habe drei Brüder. Sie heißen Boris, Ben und Bert.

1 Boris ist schon 35 Jahre alt und er ist am *ältesten* (alt). Bert ist ein Jahr
_____ (jung) als Ben. Bert ist am _____ (jung).
2 Bert ist 1,90 m groß, er ist am _____ (groß). Ben ist ein bisschen
_____ (klein) als Bert, aber _____ (groß) als Boris.
3 Ben verdient am _____ (viel), er ist Arzt. Boris verdient _____ (wenig)
als Ben und Bert.
4 Ben spielt Fußball. Er ist _____ (sportlich) als Boris. Aber Bert ist am
_____ (sportlich). Er spielt Tennis, Fußball und fährt Ski.
5 Und wer ist am _____ (lustig)? Ich glaube, Bert. Er lacht _____ (viel)
als Ben und Boris.

6 Größe? Alter? Schreiben Sie vier Sätze über ihre Familie.

Meine Mutter ist am ältesten.
_____
_____

E

31 Sind Sie ein glücklicher Mensch?

Adjektivendungen 1: nach indefinitem Artikel im Nominativ

A Lesen Sie die Umfrage und unterstreichen Sie die Artikel und Adjektive vor *Frau* und *Mann*.

● ● ●   www.netzumfragen-menschen.net

Sind Sie **ein glücklicher** Mensch?

Sind Sie glücklich? Sind Sie zufrieden? Wählen Sie:

☐ Nein, ich habe nie Glück.
☐ Ja, ich bin immer glücklich.
☐ Immer glücklich, das geht doch gar nicht.
 Ich bin eine zufriedene Frau / ein zufriedener Mann.

B Lesen Sie A noch einmal und ergänzen Sie.

Nominativ			
● maskulin	Sind Sie ein	.... Mensch?	*der Mensch*
● neutral	Das ist ein	schönes Mädchen.	*das Mädchen*
● feminin	Ich bin eine	.... Frau.	*die Frau*
● Plural	Das sind	nette Menschen.	*die Menschen*

Read about adjective endings.

- Adjectives get an ending when placed before a noun.
- After an indefinite article (*ein, eine*) adjectives take the ending of the definite article: *der* Wagen → *ein schöner* Wagen.

ÜBEN

1 Ergänzen Sie die Adjektive.

~~langweilig~~ klein schön sympathisch

1 Bei dem Film bin ich eingeschlafen. Er war total *langweilig*
2 Das Haus gefällt mir sehr. Es ist wirklich sehr ....
3 Die Wohnung hat nur ein Zimmer, sie ist sehr ....
4 Ich mag unsere Nachbarn! Sie sind sehr ....

2 Unterstreichen Sie die Adjektivendungen und ergänzen Sie die Artikel.

1 Das ist ein langweiliger Film. *der* Film
2 Das ist ein schönes Haus. .... Haus
3 Das ist eine kleine Wohnung. .... Wohnung
4 Das sind sympathische Nachbarn. .... Nachbarn

31

3 Ergänzen Sie die Endungen.

- Er ist ein glücklich*er.* Mensch. Er ist ein groß_____ Mann.
  Er ist ein sympathisch_____ Nachbar. Das ist ein neu_____ Rock.

- Es ist ein dünn_____ Buch. Es ist ein klein_____ Haus. Es ist ein hell_____ Zimmer.
  Das ist ein interessant_____ Hobby.

- Sie ist eine sympathisch_____ Frau. Sie ist eine alt_____ Bekannte.
  Sie ist eine nett_____ Kollegin. Das ist eine gut_____ Frage.

- Das sind nett_____ Menschen. Das sind klein_____ Kinder. Das sind lang_____ Tische.
  Das sind furchtbar_____ Schmerzen.

4 Schreiben Sie die Sätze neu. Beginnen Sie mit *Das ist* … oder *Das sind* …

1 Der Film ist aber spannend.   *Das ist aber ein spannender Film!*
2 Das Buch ist aber dick.   _____
3 Die Torten sind aber lecker.   _____
4 Die Frau ist aber unglücklich.   _____
5 Die Zeitschrift ist aber dünn.   _____
6 Die Stadt ist aber klein.   _____
7 Der Wagen ist aber groß.   _____
8 Das Zimmer ist aber hässlich.   _____
9 Der Marktplatz ist aber schön.   _____
10 Die Straßen sind aber lang.   _____

5 Ergänzen Sie das Adjektiv mit der richtigen Endung.

1 Das ist aber ein *spannendes* (spannend) Buch! – Findest du? Ich finde es langweilig.
2 Kennst du Berlin? – Ja, ein bisschen. Weißt du, Berlin ist eine _____ (groß) Stadt.
3 Was für ein _____ (schrecklich) Mensch! – Wer denn? Der Nachbar?
4 Und was hilft dir bei Stress? – Ein _____ (heiß) Tee zum Beispiel.
5 Was kann ich essen, wenn ich krank bin? – Eine _____ (warm) Suppe ist gut.
6 _____ (teuer) Restaurants sind nicht immer besser. – Ja, das stimmt.

6 Sie sind nicht glücklich? Sie haben Stress? Was hilft Ihnen? Schreiben Sie vier Sätze.

Mir hilft ein heißer Tee.

32 Wir haben einen neuen Motorroller.

Adjektivendungen 2: nach indefinitem Artikel im Akkusativ

ENTDECKEN

A Lesen Sie und unterstreichen
Sie den Artikel und das Adjektiv.

*Hurra! Wir haben einen
neuen Motorroller!*

B Lesen Sie A noch einmal und ergänzen Sie.

Akkusativ			
● **maskulin**	Wir haben einen	.... Motorroller.	*den Motorroller*
● **neutral**	Wir haben ein	schönes Haus.	*das Haus*
● **feminin**	Wir haben eine	nette Lehrerin.	*die Lehrerin*
● **Plural**	Wir haben	sympathische Nachbarn.	*die Nachbarn*

Read about adjective endings.
After an indefinite article adjectives take the ending of the definite article:
d<u>en</u> Wagen → einen schön<u>en</u> Wagen.

ÜBEN

1 Ordnen Sie zu und unterstreichen Sie den Artikel und die Endung des Adjektivs.

~~ein schnelles Auto~~   eine neue Uhr   kleine Kartoffeln   ein großes Haus   einen guten Freund
eine interessante Zeitschrift   einen roten Stift   grüne Äpfel

Ich brauche ...

●

● *<u>ein</u> schnell<u>es</u> Auto*

●

●

32

2 Unterstreichen Sie die richtige Form.

1 Er trägt eine *schwarzen / schwarzes / schwarze* ● Brille.
2 Sie hat eine *kleinen / kleines / kleine* ● Wohnung.
3 Wir haben ein *alten / altes / alte* ● Auto.
4 Carlo kauft einen *schönen / schönes / schöne* ● Ring.
5 Ich brauche einen *großen / großes / große* ● Rucksack.
6 Ich möchte *kleinen / kleines / kleine* ● Brötchen, bitte.
7 Paula möchte gerne eine *langen / langes / lange* ● Kette.
8 Ich habe ein sehr *guten / gutes / gute* ● Handy.

3 Ergänzen Sie.

1 Neu muss es sein, das Fahrrad!   Ah, du suchst *ein neues Fahrrad!*
2 Rot muss es sein, das Auto!   Ah, du möchtest _____
3 Klein soll sie sein, die Wohnung!   Ah, du suchst _____
4 Schön müssen sie sein, die Stühle!   Ah, du willst _____
5 Groß soll er sein, der Garten!   Ah, du suchst _____
6 Interessant muss er sein, der Job!   Ah, du willst _____

4 Auf dem Flohmarkt. Ergänzen Sie *-en*, *-es* oder *-e*.

1 Was suchen Sie denn? – Ich suche eine alt*e* ● Couch.
2 Haben Sie auch einen schwarz_____ ● Anzug? – Nein, tut mir leid.
3 Haben Sie auch klein_____ ● Teller? – Ja, sicher. Hier sind sie.
4 Hier habe ich noch eine klein_____ ● Geldbörse. – Oh, die ist ja total schön!
5 Wir suchen ein bunt_____ ● Kleid. – Kleider haben wir hier.
6 Ich habe hier noch einen groß_____ ● Topf. – Sehr schön. Und was kostet er?

5 Haben Sie ...? Ergänzen Sie die Fragen und Antworten.

	◆ Haben Sie auch	○ Ja, wir haben auch
1 Brot, klein	*ein kleines Brot?*	*kleine Brote.*
2 Hemd, rot		
3 Hose, kurz		
4 Kleid, bunt		
5 Anzug, blau		
6 Tisch, groß		
7 Jacke, kurz		

6 Was wünschen Sie sich? Machen Sie eine Liste und benutzen Sie dabei Adjektive.

ein neues Fahrrad,

33 Ich spreche mit einem alten Freund.

Adjektivendungen 3: nach indefinitem Artikel im Dativ

ENTDECKEN

A Lesen Sie und unterstreichen Sie das Adjektiv.

Mit einem alten Freund.

Mit wem sprichst du denn?

B Lesen Sie A noch einmal und ergänzen Sie.

Dativ	
● **maskulin**	Ich spreche mit einem _____ Freund.
● **neutral**	Sie träumt von einem kleinen Haus.
● **feminin**	Sie wohnt bei einer netten Kollegin.
● Plural	Wir haben den Tag mit sympathischen Nachbarn verbracht.

Read about adjective endings.

Adjectives that follow an indefinite article in the dative always get the ending *-en*.

ÜBEN

1 Ergänzen Sie die Endungen.

Wir verbringen
den Tag mit ...

● einem gut*en* Freund.

● einem nett_____ Mädchen.

● einer sympathisch_____ Kollegin.

● gut_____ Freunden.

33

2 Schreiben Sie *einem, einer* oder - und die Adjektive im Dativ.

Wo wohnt er?

1 ● Leute / nett	Bei	*netten Leuten.*	
2 ● Haus / groß	In	*einem großen Haus.*	
3 ● Freund / alt	Bei		
4 ● Stadt / klein	In		
5 ● Wohnung / schön	In		
6 ● Freunden / gut	Bei		
7 ● Apartment / klein	In		
8 ● Dorf / alt	In		
9 ● Kollegin / nett	Bei		
10 ● Insel / sonnig	Auf		
11 ● Ferienort / berühmt	In		

3 Nominativ, Akkusativ oder Dativ? Lesen Sie Annas Blog und ergänzen Sie die Endungen.

> ● ● ●   www.annasleben-bloglife.net
>
> Hallo, ich heiße Anna. Auf diesem Blog möchte ich euch (1) spannend*e* und (2) lustig_____
> ● Geschichten aus meinem Leben erzählen. Ich wohne in einem (3) klein_____ ● Dorf bei
> München. Aber ich bin oft in Berlin. Ich habe kein Geld für ein Hotel. Und ein (4) gut_____
> ● Hotel in Berlin ist sehr teuer. Deshalb wohne ich bei einem (5) alt_____ ● Freund. Mein
> Freund hat eine (6) groß_____ und sehr (7) schön_____ ● Wohnung in Kreuzberg. Ich schlafe
> immer auf einer (8) weiß_____ und total (9) bequem_____ ● Couch im Wohnzimmer.
> Berlin ist eine (10) toll_____ ● Stadt. Es gibt so viele Clubs, Kinos und Theater. Aber es
> gibt auch (11) günstig_____ und (12) gut_____ ● Restaurants. Und Berlin ist total spannend.
> Ja, ich möchte auch gerne in so einer (13) aufregend_____ ● Stadt wohnen!
> Ich möchte bald nach Berlin ziehen. Deshalb suche ich auch einen (14) neu_____ ● Job.
> Das ist nicht einfach, denn viele Jobs gibt es nicht. Aber es muss ein (15) gut_____ ● Job
> sein. Das finde ich wichtig!
> Morgen habe ich ein (16) interessant_____ ● Gespräch bei einer (17) international_____
> ● Firma. Ich habe (18) viel_____ ● Fragen vorbereitet. Aber was soll ich anziehen?
> Vielleicht ziehe ich einen (19) blau_____ ● Rock mit einer (20) weiß_____ ● Bluse an. Oder
> ich könnte auch ein (21) schön_____ ● Kleid tragen. Kleider sehen doch immer gut aus.
> Morgen schreibe ich von meinem Gespräch. Ich hoffe, dass ich dann eine (22) gut_____
> ● Nachricht habe.

4 Mit wem sprechen Sie gerne? Schreiben Sie zwei Sätze und benutzen Sie Adjektive.

Ich spreche gerne mit netten Nachbarn.

34 Das alte Haus ist schön.

Adjektivendungen 4: nach definitem Artikel im Nominativ

A Lesen Sie und unterstreichen Sie die Artikel und Adjektive.

Die schwarze Bluse ist super.

Ja, und der lange Rock passt sehr gut dazu.

B Lesen Sie A noch einmal und ergänzen Sie.

Nominativ	
● **maskulin**	Der _____ Rock passt gut dazu.
● **neutral**	Das alte Haus ist schön.
● **feminin**	Die _____ Bluse ist super.
● Plural	Die neuen Nachbarn sind nett.

Read about adjective endings.

Adjectives that follow a definite article in the nominative always get the ending *-e*; adjectives in the plural get the ending *-en*.

1 Ordnen Sie zu und unterstreichen Sie den Artikel und die Endung des Adjektivs.

~~der aufregende Film~~   die sympathische Kollegin   das schöne Haus   die kleinen Autos   der alte Mann

● *der* aufregend*e* Film

●

●

●

2 Bei uns in der Straße. Ergänzen Sie die Endungen.

Da drüben ist / sind ...

● der neu*e* Kindergarten.

● das klein____ Geschäft.

● die neu____ Bäckerei.

● die alt____ Bäume.

34

3 Schreiben Sie die Sätze neu.

1 Der Wagen ist alt und kaputt. → *Der alte Wagen* ist kaputt.
2 Der Anzug ist neu und bequem. → _____ ist bequem.
3 Die Küche ist groß und sehr modern. → _____ ist sehr modern.
4 Das Apartment ist schön und günstig. → _____ ist günstig.
5 Die Leute sind nett und neu in der Stadt. → _____ sind neu in der Stadt.
6 Die Häuser sind alt und nicht sehr teuer. → _____ sind nicht sehr teuer.

4 Ergänzen Sie. Achten Sie auf den Plural!

1 Haus / alt   *Das alte Haus* gefällt mir.
2 Restaurants / griechisch   *Die griechischen Restaurants* in der Stadt sind gut.
3 Auto / rot   _____ ist viel zu teuer.
4 Park / groß   _____ ist ganz in der Nähe.
5 Kirche / schöne   _____ steht am Ende der Straße.
6 Blusen / bunt   _____ stehen dir.
7 Dorf / klein   _____ ist nicht weit von Hamburg.
8 Anzug / schwarz   _____ ist mir zu eng.
9 Fahrräder / blau   _____ gehören meinen Freunden.
10 Motorroller / italienisch   _____ sind wirklich cool.

5 Neu in der Stadt. Ergänzen Sie.

der französisch*e* Kindergarten   der groß____ Spielplatz   der groß____ Flohmarkt
die neu____ Wohnung   die frisch____ Brötchen   das italienisch____ Restaurant

1 Ist *der französische Kindergarten* hier in der Nähe? – Ja, gleich dort.
2 Wie gefällt dir denn _____? – Super! Die Miete ist nicht hoch und ich habe noch nie so ruhig gewohnt.
3 _____ auf der Theresienwiese ist wirklich super! – Ja, das finde ich auch. Ich liebe alte Sachen.
4 Wo hast du _____ gekauft? – Geh einfach geradeaus! Dann siehst du die Bäckerei.
5 Wo ist denn _____ mit der leckeren Pizza? – Nicht weit vom Goetheplatz.
6 Ist _____ hier in der Straße? – Ja, er ist ganz am Ende der Straße. Hörst du nicht die Kinder?

6 Was gefällt Ihnen in Ihrer Stadt? Schreiben Sie eine Liste und benutzen sie dabei Adjektive.
die alte Schule,

35 Ich mag die neuen Nachbarn.

Adjektivendungen 5: nach definitem Artikel im Akkusativ

A Lesen Sie und unterstreichen Sie das Adjektiv.

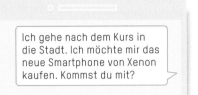

Ich gehe nach dem Kurs in die Stadt. Ich möchte mir das neue Smartphone von Xenon kaufen. Kommst du mit?

B Lesen Sie A noch einmal und ergänzen Sie.

Akkusativ	
● **maskulin**	Ich mag den lustig*en* Film.
● **neutral**	Ich kaufe das .... Smartphone.
● **feminin**	Ich mag die bunt*e* Bluse.
● **Plural**	Ich mag die neu*en* Nachbarn.

Read about adjective endings.

For adjectives following a definite article in the accusative, masculine and plural get the ending -*en*. Neuter and feminine get the ending -*e*.

1 Ergänzen Sie die Endungen im Akkusativ.

Ich mag ...

● den groß*en* Park. den klein......... Marktplatz.

● das alt......... Rathaus. das neu......... Zentrum.

● die groß......... Brücke. die alt......... Kirche.

● die schön......... Geschäfte. die groß......... Bäume.

2 Markieren Sie die Adjektivendungen. Schreiben Sie das Gegenteil.

1 Ich mag den klein|en| Park. *Ich mag den großen Park.*

2 Wir mögen das alte Rathaus. ....

3 Er liebt die alte Kirche. ....

4 Sie mag die großen Bäume. ....

35

3 Was hätten Sie gerne? Die große Wohnung? Schreiben Sie.

Ja, ich hätte gerne …

1 ● Wohnung / groß   *die große Wohnung.*   6 ● Wagen / neu   ....
2 ● Haus / klein   ....   7 ● Hemd / weiß   ....
3 ● Pullover / schwarz   ....   8 ● Garten / groß   ....
4 ● Kette / lang   ....   9 ● Krawatte / grau   ....
5 ● Stiefel / schwarz   ....   10 ● Bücher / alt   ....

4 Ergänzen Sie die Endungen im Akkusativ.

1 Hast du den neu*en* Deutschlehrer schon gesehen? – Ja, er ist super.
2 Ich glaube, dass Martin die richtig....... Frau fürs Leben gefunden hat. – Das ist schön.
3 Ich danke Ihnen für den sehr nett....... Abend. – Gerne.
4 Ich finde den jung....... Kellner sehr nett und höflich. – Ja, da hast du recht.
5 Ich mag die lang....... Spaziergänge mit dir. – Das freut mich wirklich.
6 Hast du die müd....... Menschen hier in der U-Bahn gesehen? – Ja, das ist abends immer so.
7 Hast du das neu....... Kleid im Internet gekauft? – Nein, in einem Kaufhaus.
8 Bitte häng die nass....... Jacke ins Bad! – Ja, das mache ich.

5 Lesen Sie den Text auf einer Dating-Webseite und ergänzen Sie die Endungen im Akkusativ.

● ● ●

Ich suche eine Frau für die Stadt!

Ich bin zu viel allein. Meine Freizeit ist schrecklich! Ich mag das (1) *langweilige Leben*
(langweilig / Leben) und die (2) .... (hart / Arbeit) hier auf dem Land nicht
mehr. Ich interessiere mich für die (3) .... (schön / Dinge) des Lebens und
möchte in die (4) .... (groß / Stadt). Hamburg, Berlin oder auch London oder
Paris! Welche Frau kommt mit? Ja, ich suche das ganz (5) .... (groß / Glück)
und das (6) .... (aufregend / Leben) weit weg von hier. Hast du Lust?
Kommst du mit?
Ich bin nicht mehr jung, aber immer noch fit. Arbeiten muss ich nicht mehr. Ich mag das
(7) .... (lecker / Essen) in Frankreich, den (8) .... (gut / Wein)
in Rom und die (9) .... (groß / Museen) in Berlin. Ich liebe das
(10) .... (gut / Leben) und freue mich auf dich!

6 Was mögen Sie? Schreiben Sie drei Sätze mit Adjektiven.

Ich mag den alten Park in der Stadt.

....

36 Ich helfe der netten Dame.

Adjektivdeklination 6: nach definitem Artikel im Dativ

A Lesen Sie und unterstreichen Sie das Adjektiv.

> Ich arbeite gerne mit dem neuen Kollegen.

B Lesen Sie A noch einmal und ergänzen Sie.

Dativ	
● **maskulin**	Ich arbeite gerne mit dem _____ Kollegen.
● **neutral**	Ich fahre gerne mit dem großen Auto.
● **feminin**	Ich helfe der netten Dame.
● **Plural**	Ich wohne in den neuen Apartments.

Read about adjective endings.

Adjectives that follow a definite article in the dative always get the ending *-en*.

1 Unterstreichen Sie die Adjektive.

1 Der Chef ist neu.   **3** Die Kollegin ist jung.
2 Das Büro ist alt.   **4** Die Mitarbeiter sind fleißig.

2 Ordnen Sie zu und markieren Sie die Adjektivendungen.

1 ● Chef
2 ● Büro
3 ● Kollegin
4 ● Mitarbeiter

a Alle helfen der jungen Kollegin.
b Sie sitzt immer noch in dem alten Büro.
c Die Chefin dankt den fleißigen Mitarbeitern.
d Wir arbeiten gerne mit dem neuen Chef.

3 Zufrieden? Ergänzen Sie die Artikel und die Endungen.

Wie zufrieden sind Sie …

1 ● mit *dem* neu*en* Fernseher? – Wir sind sehr zufrieden.
2 ● mit _____ kostenlos_____ Bankkonto? – Es ist wirklich super!
3 ● mit _____ groß_____ Tasche? – Es geht so.
4 ● mit _____ italienisch_____ Schuhen? – Sie sind sehr schick.

4 Ergänzen Sie.

Wie findest du denn …

1 das Haus *mit dem kleinen Garten?* (● Garten / klein)
2 das Einkaufszentrum _____ (● Tiefgarage / groß)
3 die Nachbarin _____ (● Katzen / schwarz)
4 den Laden _____ (● Obst / frisch)

5 Dativ. Ergänzen Sie.

1 Komm, wir helfen *der alten Dame* (Dame / alt)!
2 Bitte zeig _____ (Mädchen / klein) den Weg!
3 Die schwarze Tasche gehört bestimmt _____ (Mann / jung).
4 Gehst du mit _____ (Kollegin / neu) ins Konzert?
5 Bitte hilf doch _____ (Nachbarin / nett) im Garten!

6 Im Büro. Nominativ, Akkusativ oder Dativ? Ergänzen Sie.

1 Mit dem neu*en* ● Drucker kann man viel besser arbeiten. – Ja, er war ja auch teuer.
2 Auch die günstig_____ ● Produkte haben eine sehr gute Qualität. – Das glaube ich Ihnen.
3 Unser Chef hat immer die richtig_____ ● Ideen. – Ja, das habe ich auch schon gehört.
4 Die letzt_____ ● Bestellung liegt noch bei mir. – Bitte schicken Sie sie mir per E-Mail.
5 Mit der chinesisch_____ ● Praktikantin sind wir sehr zufrieden. – Das freut uns sehr.
6 Brauchst du denn den alt_____ ● Computer noch? – Ja, ich schenke ihn den Kindern.
7 Wie ist denn der neu_____ ● Partner aus Japan? – Toll! Er ist genau richtig für unsere Firma.
8 Mit dem klein_____ ● Gehalt kann ich nicht leben. – Da ist doch die neu_____ ● Chefin. Sprich mal mit ihr!
9 Komm, wir kaufen die klein_____ ● Couch. – Ja, gut. Sie ist auch nicht so teuer.

7 Was haben Sie in den letzten Wochen gekauft? Sind Sie zufrieden? Schreiben Sie zwei Sätze.

Kühlschrank: Mit dem neuen Kühlschrank bin ich sehr zufrieden.

36

37 Ich sitze neben den Büchern.

Lokale Präpositionen 1: Wechselpräpositionen

A Lesen Sie und unterstreichen
Sie die Präposition und den Artikel.

Ich sitze neben den Büchern.

Ich sitze _hinter der_ Uhr.

Ich sitze auf dem Papier.

B Lesen Sie.

Wo?			Das Tier …				Das Tier …
	auf		sitzt auf der Box.	über			ist über der Box
	in		sitzt in der Box.	unter			liegt unter der Box.
	an		steht an der Box.	neben			steht neben der Box.
	vor		steht vor der Box.	zwischen			steht zwischen der Box und dem Ball.
	hinter		sitzt hinter der Box.				

Read about prepositions of place (position) + dative.

- *auf* (on), *in* (in), *an* (at), *vor* (in front of), *hinter* (behind), *über* (above), *unter* (under), *neben* (next to) and *zwischen* (between) are prepositions.
- They signal <u>position</u> in space after verbs like *stehen, liegen, sitzen, wohnen, sein* …
- When answering questions with *Wo?* the preposition is followed by the dative.
- *im* is short for *in dem*, *am* is short for *an dem*.

1 Wo ist das Tier? Ergänzen Sie die Präpositionen.

auf der Box

Neben der Box

In der Box

Zwischen der Box und dem Ball

Unter der Box

Vor der Box

Hinter der Box

an der Box

Über der Box

37

2 Ersetzen Sie die Wörter in Klammern durch *am* und *im*.

1 Wir sitzen _im_ (in dem) Auto.   **3** Sie wartet noch _im_ (in dem) Haus.
2 Warst du _am_ (an dem) Strand?   **4** Der Pullover liegt _im_ (in dem) Schrank.

3 Ergänzen Sie.

im   im   ~~im~~   ~~im~~   ~~auf dem~~   ~~in der~~   ~~in der~~

1 Wo ist der Wein? – _Im_ Glas?
2 Wo stehen die Flaschen? – _auf dem_ Tisch.
3 Wo steht der Tisch? – _im_ Wohnzimmer.
4 Wo ist das Wohnzimmer? – _in der_ Wohnung?
5 Wo ist die Wohnung? – _in der_ Schwarzwaldstraße.
6 Wo ist die Schwarzwaldstraße? – _in_ München.
7 Und wo liegt München? – _im_ Süden von Deutschland.

4 In der Stadt. Ergänzen Sie die Präposition und den Artikel in der richtigen Form.

1 Wo ist denn die Post? – _Neben der_ (neben) ● Bank.
2 Siehst du David schon? – Ja, er wartet _an der_ (an) ● Ampel.
3 Wo wohnt Chris denn? – Da _in der_ (in) ● Wohnung _über dem_ (über) ● Café.
4 Wo steht dein Auto? – Nicht weit von hier, _auf dem_ (auf) ● Parkplatz.
5 Wo gibt es hier Taxis? – Taxis stehen _zwischen dem_ (zwischen) ● Bahnhof und _dem_ ● Rathaus.
6 Steht da ein Auto _unter der_ (unter) ● Brücke? – Ich glaube, ja.
7 Wo ist der Kindergarten? – Der Kindergarten ist _hinter der_ (hinter) ● Kirche.
8 Wo wartet der Bus? – Der Bus wartet _vor dem_ (vor) ● Museum auf uns.

5 Lesen Sie den Blog und unterstreichen Sie die richtige Präposition.

> www.so-wohne-ich.de
>
> Ich wohne (1) *unter* / _in_ der Schillerstraße in Stuttgart. Meine Wohnung ist wunderschön, sie ist ganz oben (2) _im_ / *am* Haus (3) _über_ / *unter* dem Dach. Ich habe alles renoviert und neue Möbel für mein Wohnzimmer gekauft. Die neue Couch steht (4) _vor_ / *auf* dem Fenster und (5) *über* / _neben_ der Tür steht ein großer weißer Schrank. (6) _In_ / *Auf* der Ecke steht ein kleiner Tisch und (7) *unter* / _über_ dem Tisch hängt ein Bild. Meine Wohnung hat auch einen Balkon und (8) *neben* / _auf_ dem Balkon stehen ein kleiner Tisch und ein Stuhl.

6 Wo sind die Dinge in Ihrem Wohnzimmer? Schreiben Sie drei Sätze.

Der Tisch ist vor dem Fenster.

F

38 Der Vogel fliegt über den Baum.

Lokale Präpositionen 2: Wechselpräpositionen

ENTDECKEN

A Lesen Sie und unterstreichen Sie die zum Bild passende Präposition.

A Der Vogel fliegt unter den Baum.
B Der Vogel fliegt über den Baum.
C Der Vogel fliegt neben den Baum.

B Lesen Sie.

Wohin?		Das Tier …			Das Tier …
	auf	fliegt auf die Box.	über		fliegt über die Box.
	in	fliegt in die Box.	unter		läuft unter die Box.
	an	geht an die Box.	neben		geht neben die Box.
	vor	läuft vor die Box.	zwischen		läuft zwischen die Box und den Ball.
	hinter	geht hinter die Box.			

Read about prepositions of place (movement) + accusative.

- *auf* (on), *in* (in), *an* (at), *vor* (in front of), *hinter* (behind), *über* (above), *unter* (under), *neben* (next to) and *zwischen* (between) are prepositions.
- They signal <u>movement</u> after verbs like *stellen, legen, gehen, fahren, fliegen* …
- When answering questions with *Wohin?* the preposition is followed by the accusative.
- *ins* is short for *in das*; *ans* is short for *an das*.

ÜBEN

1 Ersetzen Sie die Wörter in Klammern durch *ins* und *ans*.

1 Wir fahren _ans_ (an das) Meer.
2 Gehen Sie bitte _ins_ (in das) Haus.
3 Bitte stell doch das Fahrrad _ans_ (an das) Haus!
4 Komm, wir gehen _ins_ (in das) Museum!

80

38

2 Ben räumt auf. Ergänzen Sie.

~~steht~~ ~~liegen~~ ~~hat gestellt~~ ~~hat gelegt~~

Die Tasse _steht_ vor der Couch.　Er _hat_ die Tasse auf den Tisch _gelegt_.　Die T-Shirts _liegen_ auf dem Stuhl.　Er _hat_ die T-Shirts in den Schrank _gestellt_.

3 Wo? oder Wohin? Ergänzen Sie.　*Wo = Staying Still   Wohin = Moving*

1 _Wo?_ → Die Kinder spielen hinter dem Haus.　2 _Wohin_ → Clara bringt Swen in die Schule.
3 _Wo_ → Tim studiert in Berlin.　4 _Wohin_ → Ich stelle mein Fahrrad vor das Haus.
5 _Wo_ → Der Tisch steht zwischen dem Schrank und dem Regal.

4 Was ist richtig? Unterstreichen Sie.

1 Wohin geht sie? – In der / <u>die</u> Stadt.　5 Wohin legt er das Handy? – Auf dem / <u>den</u> Stuhl.
2 Wo arbeitest du? – In der / die Stadt.　6 Wo liegt die Zeitung? – Auf <u>dem</u> / den Stuhl.
3 Wo wartet ihr? – Vor <u>dem</u> / das Haus.　7 Wohin stellt sie den Tee? – Auf dem / <u>den</u> Tisch.
4 Wohin geht ihr? – Vor dem / <u>das</u> Haus.　8 Wo steht der Tee? – Auf <u>dem</u> / den Tisch.

5 Dativ oder Akkusativ? Was ist richtig? Unterstreichen Sie.

1 Wollen wir <u>ans</u> / am Meer fahren? – Oh ja, ich bin so gerne ans / <u>am</u> Meer!
2 Wohnt sie denn <u>in der</u> / in die Stadt? – Nein, aber sie fährt oft in der / <u>in die</u> Stadt.
3 Liegt das Handy auf den / <u>auf dem</u> Tisch? – Nein, ich habe es <u>auf den</u> / auf dem Schrank gelegt.
4 Steht das Auto vor den / <u>vor dem</u> Haus? – Nein, ich habe es <u>hinter das</u> / hinter dem Haus gestellt.
5 Wo ist das Obst? – Ich glaube, Paula hat es auf dem / <u>auf den</u> Tisch gelegt.
6 Hat sie die Lampe wieder über dem / <u>über den</u> Tisch gehängt? – Ja, sie hängt jetzt wieder <u>über dem</u> / über den Tisch.
7 Wo wartet Christine denn? – Sie steht <u>vor der</u> / vor die Tür.

6 Und Sie? Wo sind Sie und wohin fahren Sie heute noch? Schreiben Sie zwei Sätze.

Ich bin jetzt im Büro. Ich bin in die Stadt. Ich fahre in das Auto

39 Ich komme vom Training.

Lokale Präpositionen 3: *aus, von, von ... nach, gegenüber*

A Ordnen Sie die Fotos den Sätzen zu und unterstreichen Sie die Präposition.

1 .... Sascha kommt vom Training.   **2** .... Manuel kommt gerade aus dem Haus.

A

B

B Lesen Sie A noch einmal und ergänzen Sie.

Woher?	aus + Dativ	Er kommt gerade .... dem Haus.
Woher?	x → von + Dativ	Ich komme .... Training.
Wohin?	x → x von ... nach	Sie reist von Hamburg nach Bremen.
Wo?	⟷ gegenüber + Dativ	Gegenüber der Post finden Sie eine Apotheke.

Read about prepositions of place.

- We use the dative after *aus, von* and *gegenüber*.
- *aus* (out of) is used when somebody is leaving a place.
- *von* (from) is used when somebody refers to a place he is coming from.
  vom is short for *von dem*.
- *von ... nach* (from ... to) signals a starting point and an endpoint.
- *gegenüber* (opposite) signals that a person or thing is positioned opposite from someone or something else.

1 Woher? Ergänzen Sie *aus* mit dem Dativ.

Siehst du sie? – Ja, sie kommt gerade ...

1 ● Schule   *aus der Schule.*   **5** ● Arztpraxis ....
2 ● Büro   ....   **6** ● Geschäft ....
3 ● Wohnung   ....   **7** ● Stadtpark ....
4 ● Fitness-Studio   ....   **8** ● Bäckerei ....

39

2 Schreiben Sie Sätze mit *vom* oder *von der*.

Woher kommst du? – Ich komme ...

1 ● Arzt   *vom Arzt.*   5 ● Bahnhof

2 ● Training   6 ● Universität

3 ● Flughafen   7 ● Deutschkurs

4 ● Schule   8 ● Rathaus

3 Schreiben Sie.

	Start	Ziel	
1	Hamburg	Berlin	Wir fahren mit dem Zug *von Hamburg nach Berlin.*
2	Paris	Madrid	Wir fliegen mit der Lufthansa
3	München	Frankfurt	Wir fahren mit dem Auto
4	Hongkong	Tokio	Wir fliegen mit Air China

4 Ergänzen Sie *gegenüber* und den Artikel im Dativ.

1 Wo ist die Bushaltestelle? – Sie ist *gegenüber der* ● Post.

2 Wo hält der Bus? – Ich glaube, er hält   ● Tankstelle.

3 Gibt es hier einen Park? – Ja, direkt   ● Kindergarten ist ein schöner Park.

4 Entschuldigung, wo finde ich hier ein Taxi? – Gleich hier   ● Krankenhaus.

5 Max und Carla treffen sich auf der Straße vor ihrem Haus. Ergänzen Sie.

gegenüber	~~vom~~	aus	von ... nach

Max: Sag mal, woher kommst du? Ich warte schon.

Carla: Ich komme gerade (1) *vom* Training. Was ist denn los?

Max: Wir wollten doch einkaufen gehen. Hast du das vergessen?

Carla: Nein, nein, das machen wir sofort. Ich muss nur noch meine Geldbörse (2) _____
        der Wohnung holen und den Flug (3) _____ München _____ Berlin buchen.

Max: Kein Problem. Und ich darf meine Tabletten nicht vergessen. Vielleicht gehen wir erst
        in die Apotheke. Und gleich (4) _____ der Apotheke ist der neue Biomarkt, da
        können wir einkaufen.

Carla: Gut, so machen wir's.

6 Von wo nach wo möchten Sie gerne fahren? Und wie?

Ich möchte gerne von Alaska nach Feuerland mit dem Fahrrad fahren.

40 Ich bin seit einem Jahr hier.

Temporale Präpositionen 1: *vor, seit*

A Lesen Sie und unterstreichen Sie *seit* und *vor*.

Metropole Berlin Immer mehr junge Menschen kommen nach Berlin.

Carlos, 26

Ich komme aus Argentinien und bin Architekt. Seit einem Monat bin ich jetzt hier. Ich habe sofort einen Job gefunden.

Sandra, 31

Ich komme aus Frankreich und arbeite bei Amazon. Ich bin schon seit einem Jahr hier. Meine Kinder gehen in den deutsch-französischen Kindergarten.

Yuna, 28

Ich komme aus Japan. Ich bin Ärztin und ich bin vor zwei Jahren nach Berlin gekommen. Berlin ist toll!

B Lesen Sie A noch einmal und ergänzen Sie.

Seit wann?	seit		Seit einem Monat.
		+ Dativ	.... Jahr.
Wann?	vor		.... Jahren.

Read about prepositions of time.
- We use the dative case after both *seit* and *vor*.
- *seit* (since) signals a span of time starting in the past and reaching into the present.
- *vor* (ago) refers to a certain point in the past.

1 Unterstreichen Sie *seit* und *vor* und ordnen Sie zu.

1 Seit gestern habe ich Kopfschmerzen.
2 Seit wann hast du das Apartment?
3 Wann hast du den Test denn gemacht?
4 Wann war der Termin?

a Seit einem Jahr.
b Dann geh besser mal zum Arzt!
c Vor einer Stunde. Ich habe ihn ganz vergessen.
d Vor zwei Tagen. Und er war nicht leicht.

40

2 Ordnen Sie zu.

~~Wir sind seit drei Tagen in Zürich.~~   Der Test war vor einer Stunde.   Laura studiert seit einem Jahr.
Sie hat vor einem Monat geheiratet.

Seit wann? *Wir sind seit drei Tagen in Zürich.*
Wann? _____

3 *seit* oder *vor*? Was ist richtig? Unterstreichen Sie.

1 Seit wann gibt es diese App? – <u>Seit</u> / Vor einem Jahr.
2 Seit wann bist du denn in Wien? – *Seit / Vor* zwei Monaten.
3 Wann ist sie gekommen? – *Seit / Vor* einer Stunde.
4 Seit wann läuft der Film? – *Seit / Vor* einer halben Stunde.
5 Läuft der Film schon lange? – Ja, er hat *seit / vor* einer Stunde angefangen.
6 Seit wann wohnt ihr in Berlin? – *Seit / Vor* einem Monat.

4 Antworten Sie mit *seit* oder *vor*.

1 Seit wann bist du in Berlin?   (● Jahr)   *Seit einem Jahr.*
2 Wann war denn dein Geburtstag?   (● Monat)   _____
3 Wann habt ihr angefangen?   (● Stunde)   _____
4 Seit wann übst du schon?   (● Woche)   _____
5 Wann hatte Emma Prüfung?   (● Monat)   _____
6 Seit wann seid ihr verheiratet?   (● Jahr)   _____

5 *vor* oder *seit*? Lesen Sie die E-Mail und ergänzen Sie.

Lieber Henri,
ich bin (1) *seit* drei Monaten hier in Zürich. Meine Freundin ist schon (2) _____
einem Jahr in die Schweiz gekommen. Wir sind sehr glücklich hier, denn wir haben
(3) _____ einer Woche eine Wohnung gefunden. Mein Bruder wohnt auch hier, schon
(4) _____ über zehn Jahren. Er hat (5) _____ einem halben Jahr geheiratet. Seine
Frau heißt Sara und kommt aus England. (6) _____ zwei Monaten haben die beiden
ein Baby. Das Baby ist total süß. Und (7) _____ einer Woche schläft es auch gut.
Bitte komm uns mal besuchen.
Viele Grüße, Markus

6 Schreiben Sie über drei wichtige Punkte in Ihrem Leben. Benutzen Sie *seit* und *vor*.

Ich habe vor drei Jahren geheiratet.
_____

41 Ich bleibe bis morgen.

Temporale Präpositionen 2: *bis, ab, von ... an, von ... bis*

A Lesen Sie die E-Mail und unterstreichen Sie die Präpositionen.

> Vielen Dank <u>für</u> Ihre E-Mail. Ich bin von Montag, 2.3., bis Freitag, 6.3., nicht im Büro. Ab Montag, 9.3., können Sie mich wieder erreichen.
>
> Mit freundlichen Grüßen
> Sabine Schuller

B Lesen Sie A noch einmal und ergänzen Sie.

Bis wann?	bis + Akkusativ $\longrightarrow$ X	Ich bleibe bis morgen. Bis nächsten Montag.
Ab wann?	ab + Dativ X $\longrightarrow$	.... Montag können Sie mich erreichen. Ab nächster Woche habe ich Urlaub.
	von ... an + Dativ X $\longrightarrow$	Von morgen an rauche ich nicht mehr. Von diesem Herbst an lerne ich Deutsch.
Von wann bis wann?	von ... bis X $\longrightarrow$ X	Ich bin .... Montag .... Freitag nicht im Büro.

Read about prepositions of time.
- *bis* (until) signals an endpoint in time.
- *ab* (starting from) signals a starting point in time.
- *von ... an* (starting from) is similar to *ab* and signals a starting point in time.
- *von ... bis* (from ... to) signals a span of time with a starting point and an endpoint.

1 Ordnen Sie zu und unterstreichen Sie die Präpositionen *bis, ab, von ... an* und *von ... bis*.

1 Gehen wir noch in den Biergarten?
2 Wann gehen wir wieder joggen?
3 Wann hat denn die Praxis von Dr. Martin geöffnet?
4 Von April an haben wir nur noch vier Stunden Deutsch pro Woche.

a Ab morgen wieder jeden Tag. Ich will wieder fit sein.
b Oh, schade! Das ist aber wenig!
c Ja, klar. Es ist doch <u>bis</u> 22 Uhr hell.
d Von 8 bis 13 Uhr.

2 Zeigt der Satz einen Beginn (B) oder einen Endpunkt (E)?

1 Sie bleibt bis morgen. _E_   **3** Ab morgen gehe ich wieder früh ins Bett. ....

2 Er hat bis sieben Uhr gearbeitet. ....   **4** Ab morgen will sie nur noch Tee trinken. ....

3 *bis* oder *ab*? Was ist richtig? Unterstreichen Sie.

1 Brauchst du das Auto noch? – Ja, ich brauche es noch *bis* / *ab* Ende des Monats.

2 Ab wann gibt es denn wieder frische Brötchen? – *Ab* / *Bis* Montag wieder jeden Tag.

3 Heute ist schon Mittwoch. Kannst du denn *bis* / *ab* Sonntag bleiben? – Nein, leider nicht.

4 Entschuldigung, ab wann fährt die U-Bahn wieder? – *Bis* / *Ab* morgen fährt sie wieder.

5 Und deine Frau? Bis wann bleibt sie noch in der Firma? – *Bis* / *Ab* Dezember.

6 Ab wann müsst ihr wieder arbeiten? – *Bis* / *Ab* Montag.

4 Zeigt der Satz eine Zeitspanne mit oder ohne Ende? Kreuzen Sie an.

1 Unsere Sprechstunde ist von 15 bis 18 Uhr.   ☒ mit Ende   ○ ohne Ende

2 Von heute an will er mehr Sport machen.   ○ mit Ende   ○ ohne Ende

3 Wir haben von Montag bis Freitag Deutschkurs.   ○ mit Ende   ○ ohne Ende

5 Unterstreichen Sie die richtige Präposition.

1 Lernt ihr auch Grammatik? – Ja, von Anfang *an* / *ab*.

2 Wann ist heute Deutschkurs? – Von sechs *zu* / *bis* neun Uhr.

3 Musst du dich auf die Prüfung vorbereiten? – Ja, *von* / *bis* Mittwoch an mache ich ein Prüfungstraining.

4 Und wann sind Ferien? – *Von* / *Ab* Mitte Juli bis Ende August.

6 Lesen und ergänzen Sie.

~~bis~~ bis von ... an ab von ... bis

---

www.deutschkurs-blogspass.ch

Unser Deutschkurs macht Spaß. Er läuft noch (1) _bis_ Dezember, dann ist er zu Ende.
(2) .... Oktober .... üben wir einmal pro Woche für die Prüfung. Ich habe auch schon eine Prüfungs-App bestellt. (3) .... morgen lerne ich dann jeden Tag mit der App.
Am Samstag treffen wir uns alle in einer Pizzeria zum Abendessen. Unsere Lehrerin kommt auch. Und wir sprechen nur Deutsch. Das Treffen ist (4) .... acht .... zehn Uhr. Ich kann leider nur (5) .... neun Uhr bleiben. Dann muss ich nach Hause, weil mein Babysitter keine Zeit hat.

---

7 Und Sie? Was müssen Sie noch tun? Schreiben Sie drei Sätze mit *bis*.

Bis Freitag muss ich arbeiten.

F

42 Ich warte schon über zwei Stunden.

Temporale Präpositionen 3: *über, für, während, zu, in*

ENTDECKEN

A Lesen Sie und unterstreichen Sie die Präpositionen.

Ich warte schon über zwei Stunden.

Zum Mittagessen gibt es Nudeln.

Während des Fluges bin ich eingeschlafen.

B Lesen Sie A noch einmal und ergänzen Sie.

Seit wann?	über	+ Akkusativ	Ich warte schon _____ zwei Stunden.
Wie lange?	für		Für die nächsten 3 Wochen bin ich in Urlaub.
Wann?	während	+ Genitiv	Sie schläft während des Fluges.
Wann?	zu	+ Dativ	_____ Mittagessen gibt es Nudeln.
Wann?	in		Ich komme in einer Stunde.

Read about prepositions of time.

- *über* (more than) is used when a certain limit of time is exceeded. We use the accusative.
- *für* (for) refers to a span of time. We use the accusative.
- *während* (while) refers to a span of time in which two actions take place simultaneously. We use the genitive.
- *zu* (for) refers to a point in time and is used with the dative.
- *in* (in) refers to a point in the future and is used with the dative.

ÜBEN

1 Schreiben Sie Sätze mit *über*.

1 *Der Zug hat über 20 Minuten Verspätung.* (der Zug / + 20 Minuten / Verspätung haben)
2 *Die Fahrt* _____
   (die Fahrt / + 1 Stunde / dauern)
3 _____
   (ich / + 3 Stunden / auf ihn / gewartet haben)
4 _____
   (unser Flugzeug / + 15 Minuten / später starten)

2 Ergänzen Sie die Tabelle und schreiben Sie Sätze.

	Wann?	Wie lange?	Wohin?
1	*im* November	_____ zwei Tage	_____ Berlin
2	_____ Frühling	_____ drei Wochen	_____ Spanien
3	jetzt	_____ eine Stunde	_____ Büro
4	_____ nächsten Jahr	_____ einen Monat	_____ Peking

1 Wir fahren *im November für zwei Tage nach Berlin.*
2 Ich fliege _____
3 Swen geht _____
4 Wir gehen _____

3 So ist Ben. Ergänzen Sie *während* und Artikel + Nomen im Genitiv.

1 Ben telefoniert schon *während des Frühstücks* (● Frühstück).
2 _____ (● Arbeit) träumt er oft.
3 Und _____ (● Spaziergang) mit mir hat er nur geredet.

4 *zum* oder *zur*? Ergänzen Sie.

1 Möchtest du Brötchen *zum* Frühstück? – Ja, gerne.
2 Ich trinke _____ Essen gerne ein Glas Wein. – Ja, ich auch.
3 Und wann kommt das Dessert? – Das kommt erst ganz _____ Schluss.
4 Kommen Sie doch bitte nur mit Termin _____ Sprechstunde. – Ja, gerne.

5 Wann kommt sie denn? Schreiben Sie.

Sie kommt …

1 *in einer Stunde* (● Stunde).   2 _____ (● Jahr).   3 _____ (● Monat).

6 Stefan wartet, ärgert sich und schreibt eine Whats-App-Message an Lena. Ergänzen Sie.

während in
~~über~~ zum zum

Hallo Lena, jetzt sitze ich hier schon (1) *über* zwei Stunden und warte auf dich. Du wolltest doch (2) _____ Frühstück kommen und jetzt ist es bald Mittag. (3) _____ einer Stunde habe ich mich (4) _____ Mittagessen mit Günter verabredet. Ich fahre also gleich. Bitte ruf mal an, wenn du Zeit hast. Wir können (5) _____ der Busfahrt telefonieren. LG, Stefan

7 Wann müssen Sie für wie lange wohin? Schreiben Sie zwei Sätze.

Im Juni muss ich für zwei Tage nach Rom.
_____

F

43 Der Tisch ist aus Glas.

Modale Präpositionen: *aus, für, ohne*

ENTDECKEN

A Lesen Sie und unterstreichen Sie die Präpositionen.

www.1-2-3-moebel.de

Kundenrezensionen ★ ★ ★ ★ ★

Der Tisch ist aus Glas. Er ist sehr schön. Aber er ist nur für vier Personen. Und ohne die Stühle sieht er nicht so gut aus.

B Lesen Sie A noch einmal und ergänzen Sie.

Woraus?	aus	+ Dativ	Der Tisch ist .... Glas. Bücher sind aus Papier.
Für wen?	für	+ Akkusativ	Das Geschenk ist für meinen Vater. Der Tisch ist nur .... vier Personen.
Wie?	ohne	+ Akkusativ	.... die Stühle sieht er nicht so gut aus. Ohne meinen Laptop fahre ich nicht.

Read about modal prepositions.

- *aus* (made of) is used when talking about material: *aus Papier*. It is not followed by an article.
- *für* (for) is used when assigning something: *ein Buch für mich*. It is used with the accusative.
- *ohne* (without) is the opposite of *mit*: *Mit oder ohne Zucker?* It is used with the accusative.

ÜBEN

1 Was ist das? Unterstreichen Sie *aus* + Nomen und ergänzen Sie.

1 Er ist oft <u>aus Holz</u>. Man braucht ihn, wenn man sitzen möchte. → ● *der Stuhl*
2 Es ist eckig und aus Papier. Man liest es. → ● ....
3 Sie ist aus Plastik oder aus Papier und man bekommt sie im Supermarkt. → ● ....
4 Sie ist oft aus Glas. In jedem Zimmer hängt oder steht eine. → ● ....

2 Lesen Sie und unterstreichen Sie *aus*. Material oder Ort? Kreuzen Sie an.

1 Sie kommt <u>aus</u> der Schule. ○ Material ☒ Ort
2 Das Haus ist komplett aus Holz. ○ Material ○ Ort
3 Sie geht um acht Uhr aus dem Haus. ○ Material ○ Ort

3 Ergänzen Sie.

~~für mich~~   für dich   für meine Frau und mich   für deinen Vater

1 Bestellst du bitte noch etwas *für mich*? Ich habe Durst. – Was möchtest du denn? Eine Cola?
2 Kaufst du den Wein ....? – Nein, er trinkt keinen Wein.
3 Ich habe hier ein Geschenk .... Ich hoffe, du magst es. – Danke.
4 Hätten Sie noch einen Tisch ....? – Tut mir leid, die Tische sind alle reserviert.

4 Das muss ich noch alles kaufen. Schreiben Sie und benutzen Sie *für* + Akkusativ.

1 ● Fernseher → ● Ferienhaus   *Einen Fernseher für mein Ferienhaus.*
2 ● Flugticket → ● Reise nach Mallorca
3 ● Lampe → ● Büro
4 ● Mikrowelle → ● Küche
5 ● Drucker → ● Computer

5 Ordnen Sie zu.

1 Essen wir das Eis   a mit oder ohne Zucker?
2 Trinken Sie den Kaffee   b mit oder ohne Sahne?
3 Möchten Sie die Cola   c mit oder ohne Zitrone?

6 Lesen Sie die Postkarte. *mit* oder *ohne*? Was ist richtig? Ergänzen Sie.

Liebe Steffi,
Struppi und ich sind jetzt in München. Du weißt ja, (1) *ohne*
meinen Hund fahre ich nie. Gestern Abend wollte ich in einem
französischen Restaurant essen. Aber (2) ....
Reservierung war das nicht möglich, deshalb bin ich in eine
Pizzeria gegangen. Ich habe Pizza (3) .... Salami
gegessen. Hm, das hat gut geschmeckt! Mein Hotel ist sehr
schön, (4) .... Sauna und Bar. Und es ist gar nicht so
teuer. Für die Übernachtung (5) .... Frühstück zahle ich
weniger als hundert Euro. Aber das Frühstück ist sehr einfach.
München ist toll! Vielleicht die schönste Stadt der Welt!
Liebe Grüße aus der Weltstadt (6) .... Herz! ♥
Dein Zoran

7 Wie trinken Sie Kaffee oder Tee? *Mit* … oder *ohne* …? Schreiben Sie.

Ich trinke Tee mit Milch.

44 Heute gehe ich in den Deutschkurs.

Verb auf Position 2

A Lesen Sie und unterstreichen Sie *ich* und *gehe*.

Ich gehe heute in den Deutschkurs.

Ja, heute gehe ich auch in den Deutschkurs.

B Lesen Sie A noch einmal und ergänzen Sie.

		2			Ende
Aussagesatz	....	gehe		heute in den Deutschkurs.	
	Heute	gehe	....	in den Deutschkurs.	
	Gleich	muss	ich	noch in den Supermarkt	gehen.
W-Frage	Wann	bist	du	ins Kino	gegangen?
Ja- / Nein-Frage		Hast	du	Vokabeln	gelernt?
Imperativ		Geh		bitte	einkaufen!

Read about the structure of sentences.

- The conjugated verb is always in position 2, while infinitives, past participles, and prefixes of separable verbs are placed at the end of the sentence.
- The subject moves to a position after the verb when position 1 is taken.

1 Ich bin Verkäuferin im Elektrik-Markt. Sortieren Sie und schreiben Sie Sätze.

1 ich / Fernseher / verkaufen   **2** arbeiten / ich / im Team   **3** beraten / ich / die Kunden

	2			Ende
1 *Ich*	*verkaufe*		*Fernseher.*	
2 *Ich*	*arbeite*	*im*	*Team*	
3 *ich*	*beraten*	*die*	*Kunden*	

44

2 Ergänzen Sie die Tabelle mit den Sätzen aus 1.

	2			Ende
1 *Seit einem Jahr*	*verkaufe*	*ich*	*Fernseher.*	
2 Oft	arbeite	ich	im	Team
3 Meistens	berate	ich	die--	Kunden

3 Ihre Bewerbung. Schreiben Sie die Sätze aus 1 im Perfekt.

	2			Ende
1 *Bei Elektrik-Markt*	*habe*	*ich*	*Fernseher*	*verkauft.*
2 ''	habe	ich	im Team	gearbeitet
3 ''	habe	ich	die Kunden	geberatet
				beraten

4 Das muss ich tun. Schreiben Sie die Sätze aus 1 mit dem Verb *müssen*.

	2			Ende
1 *Bei Elektrik-Markt*	*muss*	*ich*	*Fernseher*	*verkaufen.*
2 ''	muss	ich	im Team	arbeiten
3 ''	muss	ich	die Kunden	beraten

5 Viel zu tun! Schreiben Sie Sätze.

1 Du musst jetzt aufstehen. – Ja, sicher. *Ich stehe sofort auf.*
2 Du solltest die Heizung anmachen. – Ja, klar. _____
3 Du musst die Wohnung aufräumen. – Kein Problem. _____
4 Du musst die Kinder abholen. – Aber ja. _____

6 Im Deutschkurs. Schreiben Sie Fragen.

1 die Vokabeln lernen   *Hast du die Vokabeln gelernt?*
2 die Texte lesen   Hast du die Text gelest?
3 die Hausaufgaben machen   Hast du die Hausaufgaben gemacht? ✓
4 die Übung verstehen   Hast du die Übung versteht?
5 die Grammatik wiederholen   Hast du die Grammatik wiederholst?

7 Sprechen Sie mit anderen Deutschlernern. Schreiben Sie zwei Fragen im Perfekt.

Hast du die Grammatik verstanden? gelesen, gelernen gemacher
wiederholt

45 Ich lerne Deutsch, weil es Spaß macht.

Hauptsatz + kausaler Nebensatz: *weil*

A Lesen Sie und unterstreichen Sie *weil*.

Warum Deutsch?

Ich lerne Deutsch, ...

... weil über 100 Millionen Menschen Deutsch als
Muttersprache sprechen.

... weil mir deutsche Bücher gefallen.

... weil es wichtig für den Job und die Karriere ist.

... weil Deutschland, Österreich und die Schweiz
so schöne Länder sind.

... weil es Spaß macht.

Deutschland

Österreich

Schweiz

B Lesen Sie A noch einmal und ergänzen Sie.

	Hauptsatz	Nebensatz
Warum?	Ich lerne Deutsch,	*weil* es Spaß macht.
	Ich bin hier,	weil ich Deutschland mag.
	Ich lerne viel,	weil ich die A2-Prüfung bestehen möchte.

			2		Ende
Ich lerne Deutsch.		Ich	mag	Deutschland.	
Ich lerne Deutsch,	weil	ich		Deutschland	mag.

Read about *weil*.

- *weil* introduces a subordinate clause (Nebensatz) answering the question *Warum?*
- *weil* is used when giving a reason: *Ich lerne Deutsch, weil es Spaß macht.*
- The verb in the subordinate clause moves to the end of the sentence.

1 Schreiben Sie.

◆ W4rum kommst du n1cht?

○ 1ch komm3 n1cht, w31l 1ch
gl31ch 31n3n T3rm1n h4b3.

◆ W4rum l3rnst du d3nn D3utsch?

○ 1ch l3rn3 D3utsch, w31l 3s Sp4ß m4cht.

Warum kommst du nicht?
Ich komme nicht, weil ich gleich
einen Termin habe
Warum lernst du denn Deutsch
Ich lerne Deutsch weil es spaß macht

45

2 Ergänzen Sie das Verb im Nebensatz.

1 Ich lerne Deutsch. Meine Freundin <u>ist</u> in Deutschland. → Ich lerne Deutsch, weil meine Freundin in Deutschland *ist* .

2 Ich mache einen Deutschkurs. Ich <u>brauche</u> Deutsch im Büro. → Ich mache einen Deutsch-kurs, weil ich Deutsch im Büro *brauche* .

3 Wir lernen Grammatik. Das <u>ist</u> wichtig. → Wir lernen Grammatik, weil das wichtig *ist* .

3 Ordnen Sie zu. Unterstreichen Sie die Verben in der rechten Spalte.

1 Karen fährt zum Flughafen.
2 Sie freut sich.
3 Sie muss lange warten.
4 Sie geht ins Café und trinkt eine Cola.

a Sie hat ihre Freundin lange nicht <u>gesehen.</u>
b Ihre Freundin aus Boston <u>kommt</u> heute.
c Sie <u>hat</u> Durst.
d Das Flugzeug <u>hat</u> Verspätung.

4 Verbinden Sie die Sätze in 3 mit *weil* und schreiben Sie.

Karen fährt zum Flughafen, weil ihre Freundin aus Boston heute kommt.
Sie geht ins Café und trinkt eine Cola, weil Sie Durst hat
Sie muss lange warten, weil das Flugzeug Verspätung hat

5 Warum stehen Sie nicht auf? Antworten Sie mit *weil*.

~~Ich bin zu müde.~~ ~~Es regnet heute.~~ ~~Mein Job ist langweilig.~~ ~~Ich bin so spät ins Bett gegangen.~~
~~Ich habe heute keine Arbeit.~~ ~~Es ist hier so schön warm.~~

Ich stehe nicht auf,

1 *weil ich zu müde bin.*
2 weil ich so spät ins Bett gegangen bin
3 weil es hier so schön warm ist
4 weil mein Job langweilig ist
5 weil es heute regnet
6 weil ich heute keine Arbeit habe

6 Sortieren und schreiben Sie Sätze mit *weil*.

1 haben / sie / einen Termin — Sie kann nicht kommen, *weil sie einen Termin hat.*
2 aus Japan / seine Freundin / kommen — Er freut sich, weil seine Freundin aus Japan kommt
3 wichtig / sein / Deutsch — Wir gehen in den Kurs, weil Deutsch wichtig ist
4 brauchen / ich / Geld — Ich arbeite viel, weil ich Geld brauche
5 schon wieder / regnen / es — Ich nehme das Auto, weil schon wieder es regnet

7 Und Sie? Warum lernen Sie Deutsch? Schreiben Sie einen Satz mit *weil*.

Ich lerne Deutsch, weil ich in Wien leben möchte.

46 Wir nehmen den Zug, wenn es schneit.

Hauptsatz + konditionaler Nebensatz: *wenn*

A Lesen Sie, unterstreichen Sie *wenn* und ordnen Sie die Bilder zu.

A   B   C

1 *B* Er fährt mit dem Motorroller, <u>wenn</u> das Wetter schön ist.
2 *C* Sie nimmt das Fahrrad, wenn sie Zeit hat.
3 *A* Wir nehmen den Zug, wenn es schneit.

B Lesen Sie A noch einmal und ergänzen Sie.

Hauptsatz	Nebensatz
Er fährt mit dem Motorroller,	*Wenn* das Wetter schön ist.
Wir nehmen den Zug,	*Wenn* es schneit.
Komm doch am Sonntag,	wenn du Zeit hast.

			2		Ende	
Er fährt mit dem Motorroller.		Das Wetter	ist	schön.		
Er fährt mit dem Motorroller,	wenn	das Wetter		schön	ist.	

Read about *wenn*.
- *wenn* introduces a subordinate clause (Nebensatz).
- *wenn* is used when talking about a condition or time: *Wenn das Wetter schön ist …*
- The verb in the subordinate clause moves to the end of the sentence.

1 Lesen Sie, ordnen Sie zu und unterstreichen Sie *wenn* und das Verb im Nebensatz.

1 Schreib mir bitte, <u>wenn</u> du Zeit <u>hast</u>.
2 Ich komme, <u>wenn</u> ich nicht arbeiten muss.
3 Wann kann ich die Prüfung machen?
4 Fragt bitte, <u>wenn</u> ihr etwas nicht versteht!
5 Das Auto hier ist super!

a Super, ich freue mich auf deinen Besuch!
b Sie können sie machen, wenn der Kurs zu Ende ist.
c Okay, das machen wir.
d Ja, wir können es kaufen, wenn ich den Job habe.
e Ja klar, das mache ich.

46

2 In unserem Deutschkurs. Ergänzen Sie das Verb im Nebensatz.

1 Ich lerne die Grammatik. Wir schreiben einen Test.
→ Ich lerne die Grammatik, wenn wir einen Test _schreiben_

2 Wir bringen unsere Bücher mit. Wir haben Deutschkurs.
→ Wir bringen unsere Bücher mit, wenn wir Deutschkurs _haben_.

3 Wir hören zu. Der Lehrer stellt Fragen.
→ Wir hören zu, wenn der Lehrer Fragen _stellen_.

4 Wir suchen die Wörter im Wörterbuch. Wir verstehen sie nicht.
→ Wir suchen die Wörter im Wörterbuch, wenn wir sie nicht _verstehen_

5 Wir machen die Hausaufgaben. Die Lehrerin gibt uns welche.
→ Wir machen die Hausaufgaben, wenn die Lehrerin uns welche _geben_.

3 Ergänzen Sie die Sätze.

↗ _Tired_

die Sonne scheint ~~ich habe viel Hunger~~ ~~ich habe Durst~~ ~~ich bin müde~~

1 Ich esse gerne Spaghetti, _wenn ich viel Hunger habe._
2 Ich bleibe lieber im Bett, _wenn ich Müde bin_
3 Ich trinke viel Wasser, _wenn ich Durst habe_
4 Ich fahre oft mit dem Fahrrad ins Büro, _wenn die Sonne scheint_

4 Probleme im Hotel. Ergänzen Sie.

1 Sie finden das Zimmer nicht?
Fragen Sie bitte an der Rezeption, _wenn Sie das Zimmer nicht finden._

2 Die Handtücher sind schmutzig?
Fragen Sie das Personal, _wenn Die Handtücher Schmutzig sind_

3 Das Restaurant im Hotel ist geschlossen?
Gehen Sie ins Café nebenan, _wenn Sie ins Café nebenan Gehen_

5 Schreiben Sie Sätze mit *wenn*.

1 Ich spiele Tennis. → Mein Arm tut weh. _Mein Arm tut weh, wenn ich Tennis spiele._
2 Ich bin im Urlaub. → Ich lese gerne. _Wenn ich im Urlaub bin_
3 Ich arbeite zu viel. → Ich bin sehr müde. _Wenn ich zu viel arbeite_
4 Ich lerne Vokabeln. → Ich habe Kopfweh. _wenn ich Vokabeln lerne_
5 Ich mache viel Sport. → Es geht mir gut. _wenn ich viel Sport mache_

6 Wann sind Sie traurig oder froh? Schreiben Sie zwei Sätze.

Ich bin traurig, wenn _ich meine Eltern nicht besuchen kann._
Ich freue mich, wenn _____

47 Es tut mir leid, dass ich zu spät komme.

Hauptsatz + Nebensatz: *dass*

A Lesen Sie und unterstreichen Sie *dass* und das Verb im Nebensatz.

Ja, es ist wichtig, <u>dass</u> Sie
gut Deutsch <u>sprechen</u>.

Es ist wichtig, dass
ihr die Wörter lernt.

Ich freue mich, dass
ich Sie treffe.

B Lesen Sie A noch einmal und ergänzen Sie.

Hauptsatz	Nebensatz
Es ist wichtig,	*dass* Sie gut Deutsch sprechen.
Es tut mir leid,	dass ich zu spät komme.
Ich finde es gut / schlecht,	dass du so viel arbeitest.
Ich bin froh,	dass du da bist.
Ich freue mich,	*dass* ich Sie treffe.
Sie sagt,	dass sie morgen kommt.
Wir hoffen,	dass es Ihnen gut geht.
Schön,	dass du eine Wohnung hast.
Schade,	dass sie kein Geld hat.

			2		Ende
Es ist wichtig.		Sie	sprechen	gut Deutsch.	
Es ist wichtig,	dass	Sie		gut Deutsch	sprechen.

Read about *dass*.

- *dass* introduces a subordinate clause (Nebensatz).
- The verb in the subordinate clause moves to the end of the sentence.
- *dass* is often used after phrases like *Es ist wichtig, … Ich bin froh, …*

1 Ordnen Sie zu. Unterstreichen Sie *dass* und das Verb im Nebensatz.

1 Tolles Auto!
2 Hallo, hier bin ich!
3 Ich habe schon wieder nichts gewonnen.
4 Vielleicht kommt er noch.
5 Schade, dass du nicht kommen kannst.

a Es tut mir leid, dass du kein Glück <u>hast</u>.
b Ja, aber ich <u>kann</u> heute wirklich <u>nicht</u>.
c Ich freue mich, <u>dass</u> du hier <u>bist</u>.
d Schön, <u>dass</u> es dir <u>gefällt</u>.
e Ja. Ich hoffe, <u>dass</u> er <u>kommt</u>.

47

2 Ordnen Sie zu.

~~ich finde es gut~~ ~~ich hoffe~~ es tut mir leid ~~es ist wichtig~~

1 Und was meinst du? – _Ich finde es gut_ , dass du Deutsch lernen möchtest.
2 Wie geht's denn Emma? – _Es tut mir leid_, dass es ihr gut geht.
3 Warum soll ich den Kurs machen? – _Es ist wichtig_ , dass du gut Deutsch sprichst.
4 Es ist schon 8 Uhr! – _Ich hoffe_ , dass ich zu spät komme.

3 Ergänzen Sie die Tabelle. Schreiben Sie vier Sätze.

Es ist wichtig,   David heiratet bald.
Ich finde es gut,   Emma verdient viel Geld.
Ich bin froh,   Frau Decker lernt Englisch.
Ich freue mich,   Steffie hat einen guten Job.
Schön,   Karen gefällt die neue Wohnung.

			Ende
Ich freue mich,	_dass_	_David bald_	_heiratet._
Schön	_dass_		
Es ist wichtig	_dass_		
Ich finde es gut	_dass_		
Ich bin froh	_dass_		

4 Schreiben Sie Sätze.

Was sagt meine Deutschlehrerin?
1 Ein guter Job ist wichtig.   Sie sagt, _dass ein guter Job wichtig ist._
2 Der Deutschkurs macht Spaß.   Sie sagt, _dass der Deutschkurs spaß macht_
3 Die Grammatik ist nicht schwer.   Sie sagt, _dass die Grammatik nicht schwer ist_
4 Morgen beginnt der Kurs schon um 18 Uhr. Sie sagt, _dass Morgen der Kurs schon um 18 Uhr beginnt_

5 Schreiben Sie.

Was tut Ihnen leid? – Es tut mir leid,
1 ich / kommen / zu spät   _dass ich zu spät komme._
2 keine Zeit / haben / ich   _dass ich keine Zeit haben_
3 sein / so schlecht / das Wetter   _dass das Wetter so schlecht sein_
4 Pech haben / Carl / so viel   _dass Carl so viel Pech haben_

6 Was finden Sie schön / schade? Schreiben Sie zwei Sätze.

Schön, dass bald Frühling ist.

48 Weißt du, was das ist?

Indirekte Frage mit Fragewort

A Lesen Sie und unterstreichen Sie *ist*.

> Weißt du, was das <u>ist</u>?

> Nein, keine Ahnung!

> Kannst du mir sagen, wer das ist?

> Ja, das ist unser neuer Nachbar.

B Lesen Sie A noch einmal und ergänzen Sie.

W-Frage	indirekte Frage
Was ist das?	Weißt du, was das _____?
Wer spricht hier gut Deutsch?	Wissen Sie, wer hier gut Deutsch spricht?
Wen habt ihr eingeladen?	Bitte sagt uns, wen ihr eingeladen habt.
Wie heißt die Firma?	Könntest du uns bitte sagen, wie die Firma heißt?
Wem gehört das Geld?	Könnten Sie mir bitte sagen, wem das Geld gehört?
Wo liegt die Stadt?	Ich möchte gerne wissen, wo die Stadt liegt.

	2		Ende
Wie	heißt	die Firma?	
Wissen Sie, wie		die Firma	heißt?

Read about indirect questions.

- Indirect questions make questions more polite.
- Indirect questions are used after phrases like *Wissen Sie, Könnten Sie mir bitte sagen, ...*
- Other question words used with indirect questions include *wann, wie viele, woher, wohin*.
- Since indirect questions are subordinate clauses, the verb moves to the end of the sentence.

1 Ergänzen Sie das Verb in der richtigen Form.

1 Bitte *sagen* (sagen) Sie uns ...
2 Ich _möchte_ (möchten) gerne mal wissen ...
3 _Können_ (können) Sie uns bitte sagen ...
4 _Kannst_ (können) du uns bitte sagen ...
5 _Weißt_ (wissen) du vielleicht ...
6 _Wisst_ (wissen) ihr eigentlich ...

48

2 Wohin kommt der Ball? Verbinden Sie.

1 Weißt du, wo ⊞ die Stadt ⊞ ? — ⚽ liegt

2 Wissen Sie vielleicht, wie ⊞ der neue Chef ⊞ ? — ⚽ heißt

3 Ich möchte gerne mal wissen, ⊞ wir ⊞ das Treffen haben. — ⚽ wann

4 Sagt mir doch bitte mal, ⊞ Lisas Familie ⊞ kommt? — ⚽ woher

5 Wisst ihr, wen ⊞ die Chefin heute sprechen ⊞ ? — ⚽ möchte

6 Könntest du uns bitte sagen, ⊞ die Idee hatte ⊞ . — ⚽ wer

3 Noch einmal bitte. Schreiben Sie indirekte Fragen.

1 Wer hatte die Idee?   Ich möchte gerne wissen, *wer die Idee hatte.*
2 Wo ist der Kunde jetzt?   Wissen Sie, wo der Kunde jetzt ist
3 Wem verkaufst du das?   Sag mir bitte mal, wem du das verkaufst
4 Wann können wir liefern?   Wissen Sie, wann wir liefern können
5 Wie viele Menschen arbeiten hier?   Weißt du, wie viele Menschen hier arbeiten
6 Wohin liefern Sie die Produkte?   Bitte sagen Sie mir, wohin Sie die Produkte liefern
7 Woher kommt die Ware?   Könnten Sie mir bitte sagen, woher die Ware kommt

4 Fragen im Bewerbungsgespräch. Fragen Sie indirekt und benutzen Sie verschiedene Einleitungen wie *Sagen Sie uns bitte, Wir möchten gerne wissen …*

1 Was haben Sie studiert? *Könnten Sie uns bitte sagen, was Sie studiert haben?*
2 Wo haben Sie gearbeitet? _____
3 Wo wohnen Sie? _____
4 Wann können Sie anfangen? _____
5 Wie viel verdienen Sie jetzt? _____
6 Woher kennen Sie unsere Firma? _____

5 Was möchten Sie über Ihre Kollegin / Ihren Kollegen wissen? Schreiben Sie indirekte Fragen.

Ich möchte gerne wissen, wie viele Kinder du hast.

49 Es regnet, deshalb nehme ich den Schirm mit.

Hauptsatz + Hauptsatz: *deshalb*

A Lesen Sie und unterstreichen Sie *deshalb* und das Verb im zweiten Hauptsatz.

> Es regnet, deshalb nehme ich den Schirm mit.

> Ich arbeite noch, deshalb komme ich später.

B Lesen Sie A noch einmal und ergänzen Sie.

Hauptsatz 1	Hauptsatz 2
Ich arbeite noch,	.... komme ich später.
Es regnet,	deshalb nehme ich den Schirm mit.

			2		
Ich arbeite noch.		Ich	komme		später.
Ich arbeite noch,	deshalb		komme	ich	später.

Read about *deshalb*.

- *deshalb*, like *und, aber, oder* and *denn*, connects two main clauses (Hauptsätze).
- Sentences introduced by *deshalb* express a consequence: *Ich arbeite noch, deshalb komme ich später.* Compare to sentences introduced by *weil* (see 45) which express a reason: *Ich komme später, weil ich noch arbeite.*
- The verb in the clause with *deshalb* remains in position 2, and the subject is placed after the verb.

1 Suchen Sie noch vier weitere Konnektoren und schreiben Sie.

H	C	D	U	U
N	D	E	N	N
O	T	S	M	D
D	X	H	S	X
E	N	A	C	T
R	C	L	H	N
I	A	B	E	R

deshalb

....

....

....

....

49

2 Ordnen Sie zu.

1 Ich brauche Excel im Büro.   a Sie kauft E-Books im Internet.
2 Sein Englisch muss besser werden.   b Wir brauchen viele Videos.
3 Unsere Wohnung ist zu klein.   c Er macht in England Urlaub.
4 Unser Lehrer hat einen neuen Job in Berlin.   d Ich lasse es reparieren.
5 Mein Smartphone ist kaputt.   e Wir suchen ein Haus mit Garten.
6 Englische Bücher sind teuer hier.   f Ich besuche einen Kurs.
7 Im Deutschkurs sehen wir gerne Filme.   g Wir planen eine Party.
8 Unser Kurs geht bald zu Ende.   h Wir bekommen einen neuen Lehrer.

3 Verbinden Sie die Sätze in 2 mit *deshalb*.

1 Ich brauche Excel im Büro, *deshalb besuche ich einen Kurs.*
2 Sein Englisch muss besser werden, _____
3 Unsere Wohnung ist zu klein, _____
4 Unser Lehrer hat einen neuen Job in Berlin, _____
5 Mein Smartphone ist kaputt, _____
6 Englische Bücher sind teuer hier, _____
7 Im Deutschkurs sehen wir gerne Filme, _____
8 Unser Kurs geht bald zu Ende, _____

4 *weil* oder *deshalb*? Ergänzen Sie.

1 Warum kommst du nicht? – *Weil* ich krank bin.
2 Bist du krank? – Ja, *deshalb* komme ich nicht.
3 Wohnst du in der Schweiz? – Ja, _____ lerne ich ja auch Deutsch.
4 Und warum lernst du Deutsch? – _____ ich in der Schweiz wohne.
5 Wo ist denn Clara? Muss sie lernen? – Genau! _____ kommt sie heute nicht.
6 Warum kommt Clara nicht? – _____ sie lernen muss.
7 War wieder ein Stau auf der Autobahn? – Ja, _____ bin ich zu spät.
8 Warum bist du schon wieder zu spät? – _____ ein Stau auf der Autobahn war.

5 Was machen Sie gerne? Schreiben Sie zwei Sätze mit *deshalb*.

Ich lese gerne, deshalb kaufe ich E-Books.
_____
_____

50 Ich koche, dann gehen wir ins Kino.

Hauptsatz + Hauptsatz: *dann*

A Lesen und unterstreichen Sie *dann* und das Verb im zweiten Hauptsatz.

> Ich koche erst, dann gehen wir ins Kino.

> Wir machen erst Aufgabe 1, dann lesen wir den Text.

B Lesen Sie A noch einmal und ergänzen Sie.

Hauptsatz 1	Hauptsatz 2
Ich koche erst,	.... gehen wir ins Kino.
Ich muss noch schnell zur Post,	dann komme ich.
Wir machen erst Aufgabe 1,	dann (machen wir) Aufgabe 2.

			2			
Ich koche erst.		Wir	gehen			ins Kino.
Ich koche erst,	dann		gehen	wir		ins Kino.

Read about *dann*.

- *dann* connects two main clauses (Hauptsätze).
- *dann* is used when referring to the fact that we do one thing after the other.
- The verb in the clause with *dann* remains in position 2, and the subject is placed after the verb.

1 Evas Tag. Ordnen Sie zu und unterstreichen Sie *dann* und das Verb im zweiten Hauptsatz.

1 Morgens trinkt sie Tee und isst Toast,
2 Erst nimmt sie die U-Bahn,
3 Sie arbeitet ein paar Stunden,
4 Nach der Arbeit kauft sie ein,
5 Am Abend geht sie ins Fitness-Studio,

a dann geht sie ins Bett und schläft.
b dann trifft sie eine Freundin.
c dann den Bus.
d dann fährt sie ins Büro.
e dann macht sie Pause.

50

2 Im Deutschkurs. Verbinden Sie die Sätze mit *dann* und schreiben Sie sie in die Tabelle.

1 Erst kontrollieren wir die Hausaufgaben.   Wir schreiben einen Text.
2 Erst lesen wir die Geschichte.   Die Lehrerin stellt Fragen.
3 Erst hören wir den Dialog.   Wir sprechen nach.
4 Erst machen wir die Übungen.   Wir prüfen sie.
5 Erst lesen wir die Fragen.   Wir sehen den Film.

	2			
1	*Erst kontrollieren wir die Hausaufgaben,*	*dann*	*schreiben*	*wir*	*einen Text.*
2				
3				
4				
5				

3 *dann* oder *deshalb*? Lesen Sie den Blog und ergänzen Sie.

www.studis-online.at

Wir schreiben nächste Woche einen Test, (1) *deshalb* bin ich super nervös. Wer möchte
mit mir lernen? Wir können nachmittags zusammen lernen, (2) .... können wir
spazieren gehen oder kochen. Ich brauche dringend Hilfe, (3) .... schreibe ich.
Bitte antwortet per E-Mail, (4) .... können wir uns treffen.
Hier meine Adresse: julian-blau@netline.at

4 *denn* oder *dann*? Ergänzen Sie.

1 Ich möchte gerne ein Tablet, *denn* einen Laptop habe ich schon.
2 Ich muss erst in den Deutschkurs, ... gehe ich ins Fitness-Studio.
3 Du musst hier klicken, ... siehst du die Daten.
4 Anna kann nicht kommen, ... sie ist krank.
5 Gehen Sie bitte rechts, ... links in die Goethestraße.
6 Ich muss noch schnell zur Bank, ... komme ich.
7 Bitte wiederholen Sie das, ... ich habe Sie nicht verstanden.
8 Ich muss noch kurz telefonieren, ... gehen wir.
9 Fahren Sie hier immer geradeaus, ... kommen Sie direkt auf den Marienplatz.
10 Machen Sie bitte die Übungen 1 bis 3, ... machen wir eine kleine Pause.

5 Was machen Sie heute noch? Schreiben Sie drei Sätze.

Ich gehe ich ins Büro, dann ....

....

51 Doch, aber ich habe keinen Hunger.

Antworten auf Ja- / Nein-Fragen

A Lesen Sie und unterstreichen Sie *nicht* und *doch*.

> *Schmeckt euch das Essen nicht?*

> *Nein, es ist mir zu scharf.*

> *Doch, aber ich habe keinen Hunger mehr.*

B Lesen Sie A noch einmal und ergänzen Sie.

Kommen Sie morgen?	☺ Ja, ich komme um drei Uhr. ☹ Nein, ich kann leider nicht.
Schmeckt euch das Essen <u>nicht</u>?	☺ ....,aber ich habe keinen Hunger mehr. ☹ Nein, es ist mir zu scharf.
Haben Sie <u>keine</u> Zeit?	☺ Doch. ☹ Nein, leider nicht.

Read about *ja, nein* and *doch*.

* Straightforward questions are answered by a simple *ja* (yes) or *nein* (no).
* If a question contains *nicht* or *kein* a negative answer is expected. In this case we give a positive answer by using *doch*. In English you might say *Yes, I do*.

1 Sind die Fragen positiv oder negativ? Ergänzen Sie die Smileys.

☺ **1** Darf ich Sie zu einem Kaffee einladen? – Nein, danke. Ich habe jetzt einen Termin.

.... **2** Hast du keine Kinder? – Doch, ich habe eine Tochter und einen Sohn.

.... **3** Schmeckt die Suppe nicht? – Nein, nicht wirklich.

2 Unterstreichen Sie *nicht, kein-* und *doch* und ordnen Sie zu.

1 Hast du denn heute <u>keine</u> Zeit?
2 Kommst du nicht zur Party?
3 Kommst du nicht ins Fitness-Studio?
4 Hast du kein Auto?

a Doch, ich muss dringend wieder trainieren.
b Doch, ich möchte mal wieder tanzen.
c <u>Doch</u>, ich komme um sieben Uhr.
d Doch, es steht in der Garage.

51

3 Antworten Sie mit *ja* oder *doch*.

1 Sind Sie schon lange in München? _Ja_.
2 Sind Sie nicht Arzt von Beruf? ....
3 Haben Sie noch keine Wohnung gefunden? ....

4 Fühlen Sie sich gut hier? ....
5 Haben Sie keine Familie? ....
6 Sprechen Sie Englisch? ....

4 Ordnen Sie zu.

1 Hast du keinen Hunger?
2 Lernen Sie Deutsch?
3 Wohnen Sie nicht in Berlin?
4 Haben Sie denn kein Auto?
5 Sind Sie nicht Frau Müller?
6 Gehen Sie gerne ins Theater?

a Ja, wir gehen oft, meine Tochter und ich.
b Doch, seit einem Jahr wohne ich hier.
c Doch, aber es steht in der Garage.
d Ja, schon seit zwei Monaten.
e Doch, ich bin sehr hungrig.
f Nein, mein Name ist Schulz.

5 Lesen Sie den Blog. Welche Antwort ist richtig? Kreuzen Sie an.

www.leben-in-spanien.de/bloglife

Ich heiße Nina und wohne jetzt in Madrid. Ich bin vor einem halben Jahr nach Madrid gekommen. Ich arbeite als Architektin und bin oft auf Baustellen. Der Job macht Spaß. Ich komme aus Berlin. Da habe ich in einer Sprachschule Spanisch gelernt. Ich spreche schon ganz gut und verstehe fast alles. Manchmal bin ich ein bisschen traurig. Meine Freunde und meine Familie sind in Berlin. Und hier in Madrid bin ich ganz allein.

1 Wohnt Nina in Barcelona? ○ ja ☒ nein ○ doch
2 Arbeitet sie nicht als Architektin? ○ ja ○ nein ○ doch
3 Macht ihr der Job Spaß? ○ ja ○ nein ○ doch
4 Kann Nina kein Spanisch? ○ ja ○ nein ○ doch
5 Versteht Nina schon viel? ○ ja ○ nein ○ doch
6 Ist Nina immer glücklich? ○ ja ○ nein ○ doch

6 Schreiben Sie Fragen und antworten Sie mit *ja, nein* oder *doch*.

1 heute / Hast / Zeit? / du _Hast du heute Zeit?_ ☺ _Ja._
2 mit ins Restaurant Roma? / du / Kommst .... ☹ ....
3 auf Italienisch? / du / Hast / keine Lust .... ☺ ....
4 du / Gehst / ins Restaurant Roma? / nicht gerne .... ☹ ....

7 Stellen Sie zwei negative Fragen und antworten Sie mit *doch* oder *nein*.

Lernen Sie nicht Deutsch? – Doch, ich lerne Deutsch.

....

52 Erzählen Sie mal!

Modalpartikel

A Lesen Sie und unterstreichen Sie *mal* und *denn*.

> *Erzählen Sie bitte mal!*
> *Was machen Sie denn so?*

B Lesen Sie A noch einmal und ergänzen Sie.

mal → macht Bitten freundlicher
Erzählen Sie bitte!   Erzählen Sie bitte ....!
Hör bitte zu!   Hör mal bitte zu!

denn → macht Fragen freundlicher
Was machen Sie so?   Was machen Sie .... so?
Wie heißt du?   Wie heißt du denn?

Read about the use of *mal* and *denn*.
- *mal* and *denn* don't add anything meaningful to a sentence. They just make requests
  (*Bitten*) and questions (*Fragen*) more friendly and more polite.
  Hör mal bitte zu. = Listen, please.   *Wie geht's dir denn*? = How are you?
- The position of *mal* and *denn* is flexible. They are often placed after the verb and the
  personal pronoun. *mal* can be placed before or after *bitte*.

1 Im Deutschkurs. Lesen Sie und unterstreichen Sie *mal* und *denn*.

1 Gib mir bitte mal dein Wörterbuch!
2 Kommt mal bitte nach vorne!
3 Lies mal bitte den Text!
4 Jetzt bilden Sie mal Gruppen!

5 Wo ist denn dein Buch, Peter?
6 Wer hat denn die Übung gemacht?
7 Warum sagst du denn nichts, Lisa?
8 Haben wir denn keine Zeit mehr?

2 Wo steht *mal*? Machen Sie einen Pfeil. Es gibt mehrere Möglichkeiten.

1 Hören Sie ↓ bitte ↓ zu !
2 Steh bitte auf !
3 Kommen Sie bitte rein !

4 Machen Sie bitte das Licht aus !
5 Macht bitte die Fenster zu !
6 Komm bitte her !

3 Im Bewerbungsgespräch. Machen Sie die Sätze freundlicher und schreiben Sie sie mit *mal*. Es gibt mehrere Möglichkeiten.

1 Erklären Sie bitte!   *Erklären Sie bitte mal!*
2 Erzählen Sie bitte etwas über sich! ....
3 Sagen Sie bitte, woher Sie kommen! ....
4 Lesen Sie bitte unsere Webseite! ....

4 Wo steht *denn*? Kreuzen Sie an und ordnen Sie zu.

1 Wohin ○ gehst du ⊗ ?
2 Haben Sie die Schuhe ○ auch in Schwarz ○ ?
3 Was ○ machst du ○ ?
4 Bist du ○ schon ○ müde?

a Ja, ich gehe ins Bett.
b Ich gehe zur Bäckerei.
c Ich sehe mal nach.
d Ich fahre in die Stadt.

5 Schreiben Sie Fragen mit *denn*.

1 *Wie heißt du denn?*   (heißen – du – wie)
2 ....   (arbeiten – Sie – wo)
3 ....   (Kinder haben – Sie)
4 ....   (möchten – Sie – wohin)
5 ....   (in den Kurs – kommen – Sie)

6 *mal* oder *denn*? Ergänzen Sie.

1 Geben Sie mir bitte *mal* den Schlüssel! – Ja, hier bitte.
2 Warum hast du .... keine Zeit mehr? – Ich muss noch lernen.
3 Warum sagen Sie .... nichts mehr, Frau Müller? – Moment, ich schreibe noch.
4 Kommen Sie .... bitte hierher! – Ja, gerne.
5 Lies .... bitte die Übung vor! – Ja, sofort.
6 Kommst du .... nächste Woche auch nicht? – Nein, wahrscheinlich nicht.
7 Jetzt arbeiten wir bitte .... zu zweit! – Und welche Übung machen wir?
8 Lass uns .... etwas zusammen machen! – Aber ja, gerne!
9 Wo ist .... deine Schwester heute? – Sie bleibt zu Hause, weil sie Kopfschmerzen hat.
10 Wer hat .... auch die Aufgabe 5 gemacht? – Ich nicht.

7 Typisch Chefin, typisch Lehrer. Schreiben Sie zwei Sätze mit *mal*.

Chefin: *Kommen Sie mal bitte in mein Büro!*
Lehrer: *Lest bitte mal den Text auf Seite 9!*

....

....

53 Der Regenschirm

Komposita: Nomen + Nomen

A Zwei Bilder und wir bekommen ein neues Wort. Welches? Ergänzen Sie.

Regen Apfel ~~tür~~

Haus _tür_ ....schirm ....baum

B Ergänzen Sie die Artikel.

Nomen 1		Nomen 2	neues Nomen
Apfel	+	Baum	→ ● _der_ Apfelbaum
Obst	+	Baum	→ ● .... Obstbaum
Lehrer	+	Zimmer	→ ● .... Lehrerzimmer
Kinder	+	Zimmer	→ ● .... Kinderzimmer
Haus	+	Tür	→ ● .... Haustür
Garten	+	Tür	→ ● .... Gartentür

Read about compounds.

- In German we often join two nouns to get a new word, a compound.
- The second noun defines the basic meaning of the compound, while the first noun adds supplementary information: *Kinderzimmer = Zimmer für die Kinder, Lehrerzimmer = Zimmer für die Lehrer.*
- The article of the second noun is the article used for the compound. The plural is formed with the second noun: *der Apfelbaum – die Apfelbäume.*
- When speaking, note that the first part of the compound is emphazised: *die Kinderzimmer.*

1 Freizeit und Reisen. Ergänzen Sie die Nomen.

● ~~Reise~~ ● Fest ● Apparat ● See ● Karte ● Instrument ● Stuhl ● Stück

1 die Welt_reise_
2 das Stadt...........
3 der Berg...........
4 der Foto...........
5 das Theater...........
6 das Musik...........
7 die Post...........
8 der Garten...........

2 Hmm, das ist lecker! Welche neuen Wörter bekommen wir?

1 ● Apfel   + ● Kuchen   *der Apfelkuchen*   **5** ● Tomaten + ● Saft ....

2 ● Käse   + ● Brötchen ....   **6** ● Bananen + ● Eis ....

3 ● Milch   + ● Kaffee ....   **7** ● Butter   + ● Brot ....

4 ● Gemüse + ● Suppe ....   **8** ● Obst   + ● Salat ....

3 Im Restaurant. Bilden Sie so viele Wörter wie möglich.

| Getränke   Kartoffel   Wein   Speise   Kaffee   Hähnchen   Fisch   Wasser   Bier   Tomaten | ● Karte   ● Flasche   ● Salat   ● Suppe   ● Glas   ● Eis   ● Tasse |

die Getränkekarte ....

....

4 In der Schule. Wie heißen die Wörter?

1 Das <u>Buch</u> benutzen wir im <u>Kurs</u>.   *das Kursbuch*
2 Das ist das <u>Zimmer</u> für die <u>Lehrer</u>.   ....
3 Die <u>Liste</u> ist hinten im Buch. Da findet man die <u>Wörter</u>.   ....
4 Das <u>Buch</u> erklärt viele deutsche <u>Wörter</u>.   ....

5 In der Stadt. Ergänzen Sie den Plural.

1 Hat Berlin mehrere *Marktplätze* (Marktplatz)? – Ja, ich glaube schon.
2 Kannst du die .... (Hausnummer) auf der rechten Seite lesen? – Nein, leider nicht.
3 Große .... (Busbahnhof) gibt es heute in den meisten Städten. – Wirklich?
4 Gibt es in Deutschland .... (Modemesse)? – Ja, in Düsseldorf und Berlin.

6 Bilden Sie mit den Wörtern *Arzt*, *Schrank* und *Reise* neue Komposita.

der Zahnarzt ....

54 Mein Freund und meine beste Freundin

Nominalisierung mit -er, -in und -ung und Adjektive mit un-

A Lesen Sie und unterstreichen Sie die Nomen mit den Endungen -er und -in.

www.meinleben-blogging.de

Gestern haben sich mein Freund und meine beste Freundin kennengelernt. Sie sind beide Lehrer. Sie ist Yogalehrerin und er ist Lehrer an einer Schule. Ich bin froh, dass sie sich sympathisch finden.

B Lesen Sie A noch einmal und ergänzen Sie.

Nomen → Nomen Personen, Berufe und Nationalitäten	● Freund ● Chef ● Ausländer	● _____ ● Chefin ● Ausländerin	● Kollege ● Architekt	! ● Kollegin ● Architektin
	● Schweizer ● Österreicher ● Amerikaner	● Schweizerin ● Österreicherin ● Amerikanerin	● Pole ● Deutsche ● Franzose	! ● Polin ! ● Deutsche ! ● Französin
Verb → Nomen Dinge	senden + -ung wohnen + -ung	→ ● Sendung → ● Wohnung		
Verb → Nomen Personen	fahren + -er gewinnen + -er	→ ● Fahrer → ● Gewinner		
Adjektiv → Adjektiv	☺ freundlich _____ glücklich	☹ ⟷ unfreundlich ⟷ unsymphatisch ⟷ unglücklich		

Read about the composition of words.

- We obtain the female form of nouns referring to persons, professions and nationalities by adding -in to the end of the noun: *Freund – Freundin*. The plural is -nen (see 15): *Freundinnen*. But note the irregularities!
- By deleting -en and adding -ung, we can change verbs into nouns that refer to things. The article is always *die*: *senden – die Sendung*.
- By deleting -en and adding -er, we can change verbs to nouns that refer to persons. The article is always *der*: *fahren – der Fahrer*.
- The opposite meaning of an adjective can be obtained by adding the prefix un-: *freundlich – unfreundlich*.

ÜBEN

1 Ergänzen Sie die feminine Form.

1 ● Bäcker ● *Bäckerin* 2 ● Kollege ● _____ 3 ● Franzose ● _____

2 Bilden Sie Nomen.

1 reinigen *die Reinigung* 2 übernachten _____ 3 wohnen _____

3 Ergänzen Sie die Wörter aus 2.

1 Die _____ in diesem Hotel ist sehr teuer.
2 Die _____ gefällt uns und wir möchten sie mieten.
3 Die Bluse muss in die _____. Ich darf sie nicht waschen.

4 Bilden Sie Nomen.

1 spielen *der Spieler* 2 fahren _____ 3 gewinnen _____

5 Ergänzen Sie die Nomen aus 4.

1 Kerstin ist jetzt Chefin bei der Bank und hat sogar einen _____.
2 Sie spielen schon seit zwei Stunden Karten, aber einen _____ gibt es nicht.
3 Jeder _____ bekommt drei Karten.

6 Im Deutschkurs. Ergänzen Sie die Adjektive mit *un-*.

1 Die Stühle in unserem Kursraum sind hart und *unbequem* (bequem).
2 Die Grammatikübungen sind manchmal _____ (beliebt).
3 Manche Schüler sind leider oft _____ (pünktlich).
4 Wenn ich sprechen muss, bin ich immer sehr _____ (sicher).

7 So sind Menschen. Mit oder ohne *un-*? Ergänzen Sie.

1 Meine Kollegin hat Probleme mit ihrem Mann. Sie ist sehr *unglücklich* (glücklich).
2 Ich bin gerne hier in Wien. Die Leute sind wirklich sehr _____ (freundlich).
3 Evas Freund ist super. Er ist total _____ (sympathisch).
4 Also, mein Chef ist schrecklich. Und er ist so _____ (freundlich)!

8 Beschreiben Sie Personen mit den Adjektiven aus 6 und 7.

Meine Mutter ist immer freundlich. _____

_____

Lösungen

1 Ich habe das Zimmer aufgeräumt.

A <u>räum auf</u>, <u>habe aufgeräumt</u>

B habe ... aufgeräumt

1 zu↓hören an↓sehen ein↓schlafen aus↓füllen kennen↓lernen

2 2 <u>eingekauft</u> 3 <u>aufgestanden</u> 4 <u>ausgestiegen</u> 5 <u>ausgemacht</u>

3 2 fernsehen 3 auspacken 4 ausgefüllt 5 ansehen 6 zugehört 7 einschlafen 8 anmachen 9 eingestiegen 10 einkaufen

4 2 eingeschlafen 3 eingestiegen 4 ausgefüllt 5 zugehört 6 kennengelernt

5 (2) aufgestanden (3) gefahren (4) eingeschlafen (5) geflogen (6) kennengelernt (7) geübt (8) abgeholt (9) gebracht (10) ausgepackt (11) gegangen (12) getrunken (13) gegessen (14) geschmeckt (15) besichtigt (16) gefahren (17) gesehen (18) eingekauft

6 *Beispiellösung:* Ich habe mich angezogen. Dann bin ich in die U-Bahn eingestiegen. Anschließend habe ich im Supermarkt eingekauft. Zuletzt habe ich meine Wohnung aufgeräumt.

2 War sie nicht blond?

A <u>war</u>, <u>war</u>, <u>hatte</u>

B war   hatte

1 2 Wie <u>war</u> es in Berlin? – Schön. Aber wir <u>hatten</u> schlechtes Wetter. 3 Wie <u>war</u> die Party? – Ich weiß es nicht. Ich <u>war</u> nicht da. 4 <u>Warst</u> du im Kino? – Ja, der Film <u>war</u> super! 5 Wo <u>waren</u> Sie im Urlaub? – In Italien. 6 <u>Wart</u> ihr gestern im Kurs? – Nein, wir <u>hatten</u> keine Zeit.

2 (2) war (3) Hattet (4) war (5) hatten

3 2 Früher hatte Emil keinen Job. 3 Früher hatte Emil kein Auto. 4 Früher war Emil nicht verheiratet. 5 Früher hatte Emil keine Kinder. 6 Früher war Emil nicht glücklich.

4 (2) hatte (3) hatte (4) war (5) hatte (6) hatte (7) war (8) hatte (9) hatte (10) war (11) war (12) hatte (13) war (14) hatte (15) war

5 2 warst, war 3 Hattest 4 waren 5 war 6 Hattest 7 war 8 Hatte

6 *Beispiellösung:* Früher war ich oft im Kino. Früher hatte ich viel Zeit. Früher war ich oft im Schwimmbad. Früher hatte ich ein altes Fahrrad.

3 Gestern durfte ich helfen.

A Gestern <u>durfte</u> ich helfen!

B durfte

1 2 Gestern mussten wir ins Büro gehen. 3 Gestern konnten wir nicht lange schlafen. 4 Gestern konnten wir nicht ins Fitness-Studio gehen.

2 2 konnten 3 konnte

3 2 Sie durfte Serien im Fernsehen sehen. 3 Sie durfte spät ins Bett gehen.

4 2 Er sollte Arzt werden. 3 Sie sollte Lehrerin werden.

5 2 Letztes Jahr wollte ich in den Urlaub fahren. 3 Vor einer Woche wollte ich ins Kino gehen.

6 (2) wollten (3) Musset (4) sollten (5) wollten (6) konnten (7) mussten (8) Durftet (9) durften (10) durften

7 *Beispiellösung:* Ich sollte Ärztin werden.

4 Der FC Bayern spielte gestern gegen Manchester.

A <u>machte</u>, <u>sahen</u>, <u>spielten</u>, <u>gewann</u>

B spielte   spielten

1 2 bleiben 3 haben 4 gehen 5 heißen 6 lachen 7 geben 8 treffen

2 regelmäßig: machte, besuchte, arbeitete
unregelmäßig *a*: las, fand, trank, nahm, sah
unregelmäßig *u*: fuhr
unregelmäßig *ie*: lief, schrieb, schlief

3 (2) studierten (3) lebte (4) wohnte (5) lernten (6) machten (7) kauften (8) kochte (9) machten (10) heirateten (11) liebte (12) verdiente (13) machte

4 (2) ging (3) las (4) schrieb (5) schlief (6) trank (7) nahm (8) lief (9) fuhr (10) kam (11) lief (12) sah (13) gab

5 *Beispiellösung:* Der Wolf nahm Tims Hand und lief mit Tim in die Schule. Dort lernte er mit Tim. Am Nachmittag half er Tim bei den Hausaufgaben. Von nun an holte er Tim jeden Tag von der Schule ab und spielte mit ihm.

5 Ich würde gerne viel reisen.

A Zitronella56: <u>würde</u> reisen
luckyme112: <u>würden</u> kaufen
glück&liebe: <u>Würdet</u> ändern, <u>würde</u> machen

B würde   würden   würdet

1 2d 3e 4b 5a
a <u>würde machen</u>, b <u>würde fernsehen</u>,
d <u>würde schlafen</u>, e <u>würde bestellen</u>

2 2 würden 3 würde 4 würden 5 würde 6 würdet

3 2 würde 3 würdet 4 Würden 5 würde 6 würden

4 2 … würdest auch gerne tanzen. 3 … würden auch gerne nach Berlin fahren. 4 … würde / würden auch gerne viel Sport machen.

5 1 würde 2 Würdest, würde 3 Würden, würden 4 Würdet, würden

6 *Beispiellösung:* Wir würden gerne das Oktoberfest besuchen. Ich würde gerne nach Südamerika fliegen.

6 Ich hätte gerne mehr Zeit.

A juliablau: Ich hätte …
unpetitpeu: Dann hättest du …

B hätte hättest

1 2 Ich hätte gerne hundert Gramm Schinken. 3 Wir hätten gerne ein Haus mit Pool. – Ja, das hätte ich auch gerne.
Traum: 3

2 2 Er hätte gerne ein modernes Haus. 3 Er hätte gerne nette Freunde. 4 Er hätte gerne einen schönen Wagen.

3 2 Wir hätten gerne eine Pizza und einen Salat. 3 Ich hätte gerne noch etwas Brot, bitte. 4 Wir hätten lieber den Rotwein.

4 2 Sie hätte lieber einen Hund. 3 Ihr hättet lieber ein Krokodil. 4 Ich hätte lieber ein Pony. 5 Sie hätten lieber Vögel. 6 Du hättest lieber Fische.

5 2 Ich hätte gerne ein schönes Haus. 3 Du würdest gerne nach Griechenland fahren. 4 Ich hätte gerne viel Zeit.

6 (2) würde (3) würde (4) würde (5) hätte
(6) würde (7) hätte

7 *Beispiellösung:* Ich hätte gerne eine gute Arbeit. Ich hätte gerne ein Haus mit Garten. Ich würde gerne oft in den Urlaub fahren.

7 Wärst du gerne wieder ein Kind?

A

MrsUnknown: Manchmal wäre ich gerne wieder ein Kind: … und wäre klein und süß. Das Leben wäre einfacher.	CrazyGirl11: Wärst du wirklich gerne wieder so klein?

B wäre wärst wäre

1 2 höflich 3 unhöflich 4 höflich

2 2 Sie wären gerne in Berlin. 3 Sie wäre gerne am Strand. 4 Er wäre gerne bei Julia.

3 2 war 3 wäre 4 waren 5 wären 6 war

4 (2) wären (3) wäre (4) wären (5) wärt

5 2 Ich würde auch gerne Deutsch sprechen.
3 Ich hätte auch gerne ein großes Auto. 4 Ich wäre auch gerne noch so jung.

6 2 Wärst du so lieb und würdest du das wiederholen? 3 Wärt ihr so nett und würdet ihr an die Tafel kommen? 4 Wären Sie so freundlich und würden Sie das notieren, Frau Frank?

7 *Beispiellösung:* Ich wäre gerne Michelle Obama. Ich wäre gerne in Washington.

8 Du solltest deine Freunde gut auswählen.

A 2 sollte auswählen 3 sollten berichten 4 solltet schreiben

B solltest sollten

1 2 Sollten Sie nicht die E-Mail heute schreiben?
3 Naja, er sollte seine Freunde besser auswählen.
4 Ich sollte mal die Webseite neu schreiben.
5 Solltet ihr nicht gehen?

3 2 sollten 3 solltet 4 sollten

4 2 Du solltest einen Deutschkurs machen. 3 Du solltest auf Partys gehen. 4 Du solltest Urlaub machen.

5 2 Ihr solltet ein Handtuch mitbringen. 3 Ihr solltet saubere Sportschuhe tragen. 4 Ihr solltet euch immer aufwärmen. 5 Ihr solltet pünktlich in die Kurse kommen. 6 Ihr solltet eure Chipkarte nicht vergessen.

6 2 Sollte 3 sollten 4 solltet

7 *Beispiellösung:* Du solltest keine privaten Fotos posten. Du solltest nicht zu viele private Dinge erzählen.

9 Könntest du bitte das Fenster zumachen?

A 2C 3B

B könntest könntet

1 2 Wir könnten einen Film sehen. (V)
3 Könntest du bitte etwas langsamer sprechen? (F)
4 Ihr könntet auch zu uns kommen. (V)

3 2 Könntest du ↓an die Tafel kommen? 3 Könnten Sie es ↓wiederholen?
4 Das kann ich nicht. Könnten Sie mir ↓helfen?

4 2 Könntest du mir bitte helfen? 3 Könntest du es bitte reparieren? 4 Könnten Sie bitte einen Mechaniker schicken? 5 Könntest du mich bitte anrufen?

5 Könntest du mir bitte einen Kaffee bringen? Könnten Sie bitte Herrn Müller zum Meeting einladen?

Könntest du bitte morgen früher kommen?
Könnten Sie bitte noch dem Kunden antworten?

6 2 Ihr könntet ins Kino gehen.   3 Erika könnte mit
ihrer Freundin Tennis spielen.   4 Ich könnte auch
zu dir kommen.   5 Du könntest im Fitness-Studio
trainieren.   6 Er könnte später kommen.

7 *Beispiellösung:* Wir könnten Kaffee trinken. Wir könnten ins Kino gehen. Wir könnten fernsehen.

10 Ich wasche mich.

A 1B   2A

B mich

1 2 <u>Ruhst</u> du <u>dich</u> aus?
3 <u>Erinnerst</u> du <u>dich</u> an unseren letzten Urlaub?
4 <u>Freut</u> ihr <u>euch</u> auf den Besuch?
5 Ich glaube, er <u>fühlt</u> <u>sich</u> nicht gut.
6 Ich muss <u>mich</u> <u>beeilen</u>.

2 2 sich ärgern   3 sich anmelden   4 sich ausruhen
5 sich erinnern   6 sich freuen   7 sich fühlen
8 sich waschen   9 sich anziehen   10 sich beeilen

3 2 dich   3 sich   4 uns   5 euch   6 sich   7 sich

4 2 Ruht ihr euch aus?   3 Wir müssen uns beeilen.
4 Warum fühlt er sich nicht gut?

5 (2) sich   (3) mich   (4) dich   (5) euch   (6) sich
(7) uns   (8) mich

6 *Beispiellösung:* Ich freue mich auf den Urlaub. Meine
Kinder freuen sich auf die Geschenke. Meine Familie
freut sich auf den Ausflug. Ich ärgere mich über das
schlechte Wetter.

11 Der Motor wird repariert.

A 2C <u>werden</u> <u>gekocht</u>.   3A <u>werden</u> <u>gebaut</u>.

B wird repariert.

1 3 ✗   4 ✓   5 ✓   6 ✗

2 2 Ja, unser Haus <u>wird</u> gerade gebaut.
3 Er <u>wird</u> gereinigt.
4 Ja, es <u>wird</u> heute gedruckt.
5 Ja, es <u>wird</u> sehr oft fotografiert.
6 Ja, vor dem Stadion <u>wird</u> oft kontrolliert.
7 Kein Problem! Er <u>wird</u> geliefert.
8 Keine Angst, die Rechnungen <u>werden</u> geprüft.

3 2 wird   3 wird   4 werden

4 2 Morgen werden die Fenster geputzt.   3 Eine Garage
wird bald gebaut.   4 Später werden die Türen
repariert.   5 Die Küche wird auch bald renoviert.
6 Die Waschmaschine wird genau geprüft.

7 Nächste Woche wird der Kühlschrank gereinigt.
8 Der alte Herd wird auch kontrolliert.

5 *Beispiellösung:* Pakete werden geliefert.

12 Ich freue mich auf die Zusammenarbeit.

A Ich freue mich <u>auf</u> die Zusammenarbeit.

B auf

1 2d   3a   4g   5e   6c   7f

2 2e   3c   4f   5g   6b   7a

3 2 um   3 über   4 an   5 für   6 um   7 über

4 2 Steffie beschwert sich über die Preise.   3 Ben
ärgert sich über das Hotelzimmer.   4 Meine Eltern
beschweren sich über das Frühstück.

5 (2) für   (3) über   (4) um   (5) um   (6) auf

6 *Beispiellösung:* Ich interessiere mich für Technik. Ich
interessiere mich für Politik.

13 Ich träume von einem Haus.

A Ich träume <u>von</u> einem Haus und einer Familie.

B von

1 2 Ich <u>treffe</u> mich <u>mit</u> meinem Freund.
3 Ja, ich <u>habe</u> mich <u>mit</u> meinem Freund <u>verabredet</u>.
4 Ich <u>träume</u> <u>von</u> einem kleinen Haus am See.

2 2 Er nimmt an dem Kurs teil   3 Sie telefoniert mit
ihrer Kollegin.   4 Habt ihr Angst vor der Prüfung?

3 2a   3c   4b

4 (2) für   (3) auf   (4) über   (5) über   (6) mit   (7) mit
(8) mit

5 2 mich   3 mir   4 mich   5 mir   6 ihn

6

Verb	Präposition	Akkusativ	Dativ
denken	an	X	
telefonieren	mit		X
sich interessieren	für	X	
sich verabreden	mit		X
sprechen	mit		X
sich freuen	auf	X	
sich treffen	mit		X

7 *Beispiellösung:* Ich träume von Schnee im Winter. Ich
träume von einem Urlaub in Italien.

14 Ich lasse meine Uhr reparieren.

A 1A   2B

B lasse   lassen

1 2 Sie lässt ihre Haare schneiden.   3 Er lässt sein Auto
reparieren.   4 Sie lässt ihre Wohnung putzen.
5 Sie lässt ihre Lebensmittel einkaufen.

2 2 lasst   3 lassen   4 lasse   5 Lassen   6 lässt

3 2 Die Mutter lässt die Kinder viel spielen.   3 Ich lasse Ronja mit meinem Auto fahren.   4 Eure Chefs lassen euch auch Fehler machen.

4 2 Lässt   3 Lassen   4 lassen

5 (2) lassen den Kaffee kochen.   (3) lässt seine Reisen buchen.   (4) lassen ihre Termine organisieren.

6 *Beispiellösung:* Ich lasse mein Essen liefern. Ich lasse meine Wohnung putzen.

15 Die Eltern, die Kinder

A Wir sind die <u>Eltern</u>.   Und wir sind die <u>Kinder</u>.

B Kinder

1 Schüler   Brötchen   Zimmer   Messer   Poster   Lehrer

2 3 Birnen   2 Flaschen   2 Äpfel   6 Würste   2 Gläser

3 2 Pausen   3 Häuser   4 Frauen   5 Bäuche 6 Räume   7 Mäuse   8 Augen   9 Träume

4 2 Bahnhöfe   3 Dosen   4 Dörfer   5 Söhne 6 Einwohner   7 Köpfe   8 Tonnen   9 Schlösser

5 2 Männer   3 Taschen   4 Väter

6 (2) Polizistinnen   (3) Technikerinnen   (4) Mechanikerinnen   (5) Journalistinnen   (6) Handwerkerinnen

7 1, 3, 4, 6 , 7, 8, 10

8 4 Tomate   6 Student   8 Mutter   9 Vogel

9 *Beispiellösung:* Ich habe einen Mund, aber zehn Finger. Ich habe zwei Ohren und zehn Zehen.

16 Nimmst du den Bus?

A Nimmst du <u>den</u> Bus?   Nein, ich komme mit <u>dem</u> Zug.

B den Bus   dem Zug

1 Akkusativ: Ich nehme immer <u>das</u> Taxi/<u>die</u> U-Bahn/<u>die</u> Taxis.
Dativ: Ich fahre immer mit <u>dem</u> Taxi/mit <u>der</u> U-Bahn/ mit <u>den</u> Taxis.

2 2 dem   3 das, dem   4 der, die

3 Akkusativ: mögen, finden, brauchen, haben, nehmen, essen   Dativ: helfen, gehören, sprechen mit, fahren mit, danken, schmecken

4 Akkusativ: 2, 4, 5   Dativ: 3, 6

5 2 sein   3 deinem, meinen   4 meinem   5 deinem, meiner

6 *Beispiellösung:* Nimmst du den Bus? – Nein, ich fahre mit dem Zug zur Arbeit. – Ok, ich nehme den Bus und fahre dann mit der S-Bahn heim.

17 Sie haben während des Films geschlafen.

A des   der

B des Films   der Schauspieler

1 ● <u>des</u> Theaterstücks   ● <u>der</u> Arbeit   ● <u>der</u> Ferien

2 2 während des Deutschkurses   3 während des Interviews   4 während des Fluges   5 während der Prüfung   6 während des Workshops

3 2 während der Prüfung   3 während der Ferien 4 während des Theaterstücks   5 während des Termins

4 2 des Mädchens   3 der Kollegin   4 der Mitarbeiter

5 (2) des Ingenieurs   (3) der Firma   (4) der Leute (5) der Stadt   (6) des Materials

6 2 Elias'   3 Carlas   4 Agnes'   5 Max'

7 *Beispiellösung:* Während der Mittagspause telefoniere ich mit meiner Freundin. Während des Deutschkurses lese ich viel. Während meiner Arbeit telefoniere ich nicht.

18 Ich schenke Nina das Fahrrad.

A 2A   3B

1 geben   bringen   zeigen   empfehlen   erklären schicken

2 2 die Stadt   3 die Übung   4 das Päckchen   5 den Tee

3 *Beispiellösung:* Hanna bringt dem Mann die Maus.   Tim empfiehlt dem Mädchen das Computerspiel.   Clemens erklärt der Frau den Drucker. Tobias bringt dem Mädchen den Laptop.

4 meinem: Bruder, Vater, Onkel, Großvater, Mann meiner: Schwester, Tante, Freundin, Großmutter

5 2 meiner 3 meinem 4 meiner

6 2 ihm   3 ihr   4 ihm

7 *Beispiellösung:* Ich schenke meiner Freundin eine Blume. Ich schenke meiner Mutter eine Uhr. Ich schenke meinem Sohn ein Spiel.

19 Ich schenke es ihr.

A 1B   2A

1 Erzähl <u>sie</u> <u>mir</u> bitte! Bringst du <u>mir</u> <u>den</u> <u>Saft</u>? Bring <u>ihn</u> <u>mir</u> doch bitte!

2 2 es   3 sie

3 2 ihm, sie   Die Lehrerin erklärt sie ihm.   3 ihr, es Wir empfehlen es ihr.   4 ihr, ihn   Tom zeigt ihn ihr.

4 2 Wir schenken unserer Mutter ein Parfüm.   Ich gebe meinem Bruder einen Laptop.   4 Ich empfehle meiner Schwester ein Buch.

5 2 Wir schenken es ihr.   3 Ich gebe ihn ihm.   4 Ich empfehle es ihr.

6 *Beispiellösung:* 2 Mutter → Kleid   Ich empfehle es ihr.   3 Freundin → Tasche   Ich empfehle sie ihr.

20 Das sind ihre Kinder.

A Das sind die Eckners, <u>ihre</u> Kinder, <u>ihre</u> Katze und <u>ihr</u> Hund.

B ihr

1 mein, meine, meine
ihren Garten., ihr Haus., ihre Stadt., ihre Kinder.

2 meinem, meiner, meinen
ihrem Sohn., ihrem Baby., ihrer Tochter., ihren Kindern.

3 2 ihren   3 ihre   4 ihren   5 ihre

4 2 ihren   3 ihrer   4 ihrem   5 ihrem

5 1 ihre, ihr   2 ihrem   3 ihrem   4 ihren
5 ihre, ihr, ihre

6 Lisa c   die Kinder b, d, e

7 2 ihrem   3 ihren   4 seine   5 ihre

8 *Beispiellösung:* Mein Vater liebt seinen Hund. Meine Schwester liebt ihre Katze. Mein Bruder liebt seine Arbeit.

21 Bitte unterschreiben Sie dieses Formular.

A Bitte unterschreiben Sie <u>dieses</u> Formular.

B dieses

1 2 dies<u>es</u> Wort   3 dies<u>er</u> Zug   4 Dies<u>es</u> Medikament
5 dies<u>e</u> Straße   6 dies<u>em</u> Wetter
Nominativ: dieser   dieses   Akkusativ: dieses
diese   Dativ: diesem

2 B Diese Frau hier ist meine Mutter.   C Dieser Junge hier ist mein Sohn.   D Dieses Mädchen hier ist meine Tochter.

3 2 Diese   3 Diese   4 Dieses   5 Dieser   6 Diese

4 2 diesem   3 diesem   4 dieser   5 dieser   6 dieser
7 diesem

5 2 diesen   3 dieses   4 dieses   5 dieses   6 diese
7 diese   8 diesen

6 *Beispiellösung:* Diese Pizza ist nicht richtig warm.
Dieses Bier ist nicht kalt.

22 Ich schreibe ihm.

A Das ist mein Freund. <u>Er</u> heißt Ben. Ich schreibe <u>ihm</u> gerade. Denn ich möchte <u>ihn</u> treffen.

B er   ihn   ihm

1 Für wen ist das? mich   euch   uns   ihn   sie   Sie
Wem gefällt das? mir   euch   uns   ihm   ihnen
Ihnen

2 2 Es geht ihnen gut.   3 Es geht uns gut.   4 Es geht ihm gut.

3 2 ihm   3 ihnen   4 euch   5 dir

4 (2) sie   (3) sie   (4) uns   (5) sie   (6) es   (7) ihn   (8) sie

5 1 uns   2 Ihnen, mir   3 sie   4 ihn   5 dir   6 ihm, ihm   7 sie   8 dich, dir

6 *Beispiellösung:* Ihr Auto gefällt mir. Dein Essen schmeckt mir sehr.

23 Ist jemand zu Hause?

B jemand   Alle

1 2 hat, hat, haben   3 ist, ist, sind   4 spricht, spricht, sprechen

2 2 ... ist niemand.   3 ... spricht niemand.

3 2 alle   3 niemand   4 niemand   5 alle   6 alle

4 2a Hat <u>jemand</u> mein Handy gesehen?
3b Ist denn <u>jemand</u> zu Hause?
4d Hat <u>jemand</u> angerufen?

5 2 Hat jemand mein Deutschbuch gefunden?
3 Hat jemand meinen Kugelschreiber genommen?
4 Hat jemand meine Schlüssel gesehen?

6 2 alle   3 jemand   4 niemand   5 alle   6 jemand
7 niemand   8 alle

7 *Beispiellösung:* Hat jemand meine Brille gesehen?
Kann mir niemand helfen? Kann mir jemand bitte einen Kugelschreiber geben?

24 Hier sind noch welche.

A Ja, ich habe einen.   Nein, hier sind doch welche.

B welche   einen

1 2 d   3 a   4 b

2 2 welche   3 eine   4 welche   5 einer   6 eins

3 2 welche   3 eine   4 einen

4 2 eins   3 einen   4 einer   5 einen

5 *Beispiellösung:* Ich habe ein Auto. Mein Freund hat auch eins. Ich habe einen Laptop. Meine Freundin hat auch einen.

25 Wem gehört das Auto?

A 2C 3B

B Wem

1 2 <u>Wem</u> gehört die Uhr? – Mein<u>em</u> Freund. 3 <u>Wen</u> suchen Sie? – Mein<u>en</u> Chef. 4. <u>Wem</u> schreiben Sie? – Mein<u>em</u> Chef.

2 2 Und wen rufst du an? 3 Und wem dankst du? 4 Und was isst du?

3 2a 3b 4c

4 2 wen 3 Wen 4 was 5 was 6 Wen

5 brauchen A   schreiben D   schenken D
geben D   heiraten A   erklären D
untersuchen A   helfen D   verstehen A
suchen A   danken D

6 2 Wem 3 Wem 4 Wen 5 Wem 6 wem 7 Wen
8 Wem 9 Wem 10 Wen 11 Wen

7 *Beispiellösung:* Wem gehört die Tasche? Sie gehört meiner Schwester. Wem gehört das Geld? Es gehört meinem Vater. Wem gehört die Armbanduhr? Sie gehört meinem Bruder.

26 Welchen Sport magst du?

A <u>Welchen</u> Sport magst du?
<u>Welche</u> Musik ist deine Lieblingsmusik?
<u>Welcher</u> Film ist dein Lieblingsfilm?
<u>Welches</u> Land magst du am liebsten?

B Welche   Welcher   Welches

1 2 Welcher 3 Welche 4 Welches 5 Welcher

2 2 Welche 3 Welcher 4 Welcher 5 Welche
6 Welche

3 2c 3b, d

4 2 Welche 3 Welche 4 Welches 5 Welche
6 Welchen 7 Welche 8 Welches

5 2 Welchen Bus nehmen wir? 3 Welches Auto gehört dir? 4 Welche S-Bahn zum Flughafen ist schneller? 5 Welche Busse halten hier?

6 (2) Welchen (3) Welches (4) Welche

7 *Beispiellösung:* Welches Getränk ist dein Lieblings-getränk? Welche Hose ist deine Lieblingshose?

27 Woran denkst du?

A <u>Wovon</u>, <u>Wofür</u>, <u>Worauf</u>, <u>Woran</u>

B Wovon, Wofür, Worauf, Woran

1 3 worauf 4 worum 5 worüber 6 wovon

2 2A 3C

3 2 Woran 3 Worauf 4 Worüber 5 Worüber
6 Wovon 7 Worum

4 2 Worum kümmert er sich? 3 Worüber ärgern Sie sich am meisten in der Firma? 4 Worauf freust du dich in diesem Jahr? 5 Wovon träumen Sie manch-mal? 6 Woran denkst du die ganze Zeit?

5 1 Über die schlechte Teamarbeit. 3   3 Von einem schönen Haus am Meer. 5   4 An mein Land und an meine Heimat. 6   5 Auf den Urlaub in Spanien. 4   6 Um nichts. Auch nicht um seine Arbeit. 2

6 *Beispiellösung:* Worüber ärgerst du dich? Worauf freust du dich? Worüber lachst du? Worum kümmerst du dich?

28 An wen denkst du?

A <u>Von wem</u>, <u>Für wen</u>, <u>Auf wen</u>, <u>An wen</u>

B Von wem, Für wen, Auf wen, An wen

1 2 P 3 D 4 D 5 P

2 Dinge: woran, worauf, worüber, worum
Personen: an wen, mit wem, von wem, um wen

3 2 Auf wen freuen sich die Kinder?, Worauf freuen sich die Kinder? 3 Wovon träumt sie?, Von wem träumt sie? 4 Worüber ärgert sie sich?, Über wen ärgert sie sich?

4 2 wen 3 wen 4 wem 5 wen 6 wen 7 wen
8 wem

5 2 Über wen 3 Über wen 4 Um wen 5 mit wem

6 2 Über wen ärgern Sie sich am meisten? 3 Von wem träumst du nachts? 4 Auf wen freust du dich denn so?

7 1 Über meinen Vater 2   3 Auf meine Familie 4   4 Von meinem Freund 3

8 *Beispiellösung:* Über wen ärgerst du dich? Mit wem gehst du aus? Mit wem fährst du in den Urlaub? Mit wem telefonierst du oft?

29 Ich bin schneller als du.

A Ich bin <u>schnell</u>. Aber ich bin <u>schneller</u> als du.

B schneller

1 2 älter 3 billiger 4 teurer 5 früher
6 lieber 7 höher 8 reicher 9 größer
10 mehr 11 besser 12 jünger

2 2 mehr 3 kleiner 4 höher 5 teurer 6 lieber
7 älter

3 2 Sie ist Ärztin und verdient besser. 3 Sie arbeitet mehr und schläft weniger. 4 Sie wohnt lieber in Wien.

4 2 Emilia ist genauso alt wie Lena.   3 Kaffee schmeckt genauso gut wie Tee.   4 Ich bin genauso glücklich wie du.

5 1 wie   2 wie   3 als, wie

6 2 Sie verdient mehr als ich.   3 Sie malt besser als ich. 4 Sie ist größer als ich.

7 *Beispiellösung:* Ich spiele besser Tennis als mein Kollege. Ich koche besser als mein Mann. Ich jogge schneller als meine Freundin.

30 Zuhause ist es am schönsten.

A <u>schöner</u>   <u>schönsten</u>

B am schönsten

1 2 am besten   3 am größten   4 billiger   5 am liebsten 6 fleißiger   7 am meisten   8 höher

2 2 am sympathischsten   3 am kürzesten   4 am ruhigsten   5 am kältesten   6 am nettesten 7 am ältesten   8 am reichsten   9 am weitesten

3 2 härter, am härtesten   3 klüger, am klügsten 4 länger, am längsten   5 stärker, am stärksten 6 wärmer, am wärmsten

4 2 aber Lena ist am fleißigsten.   3 aber Paul ist am nettesten.   4 aber Berlin ist am größten.   5 aber in München sind sie am teuersten.   6 aber Paula hat am meisten.

5 1 jünger, jüngsten   2 größten, kleiner, größer 3 meisten, weniger   4 sportlicher, sportlichsten 5 lustigsten, mehr

6 *Beispiellösung:* Mein Vater ist jünger als meine Mutter. Mein Bruder ist am jüngsten. Meine Schwester ist am fleißigsten. Ich bin kleiner als mein Bruder.

31 Sind Sie ein glücklicher Mensch?

A ... Ich bin eine zufrieden<u>e</u> Frau / ein zufrieden<u>er</u> Mann.

B glücklicher   zufriedene

1 2 schön   3 klein   4 sympathisch

2 2 Das ist ein schön<u>es</u> Haus. das Haus   3 Das ist eine klein<u>e</u> Wohnung. die Wohnung   4 Das sind sympathisch<u>e</u> Nachbarn. die Nachbarn

3 ●: großer, sympathischer, neuer   ●: dünnes, kleines, helles, interessantes   ●: sympathische, alte, nette, gute   ●: nette, kleine, lange, furchtbare

4 2 Das ist aber ein dickes Buch!   3 Das sind aber leckere Torten!   4 Das ist aber eine unglückliche

Frau!   5 Das ist aber eine dünne Zeitschrift!   6 Das ist aber eine kleine Stadt!   7 Das ist aber ein großer Wagen!   8 Das ist aber ein hässliches Zimmer! 9 Das ist aber ein schöner Markplatz!   10 Das sind aber lange Straßen!

5 2 große   3 schrecklicher   4 heißer   5 warme 6 Teure

6 *Beispiellösung:* Mir hilft ein gutes Buch. Mir hilft ein langer Spaziergang. Mir hilft ein ruhiges Gespräch. Mir helfen gute Freunde.

32 Wir haben einen neuen Motorroller.

A Hurra! Wir haben <u>einen</u> <u>neuen</u> Motorroller!

B neuen

1 ●: einen gu<u>ten</u> Freund, <u>einen</u> ro<u>ten</u> Stift.●: ein groß<u>es</u> Haus.●: <u>eine</u> neu<u>e</u> Uhr, <u>eine</u> interessant<u>e</u> Zeitschrift.   ●: klein<u>e</u> Kartoffeln, grün<u>e</u> Äpfel.

2 2 kleine   3 altes   4 schönen   5 großen   6 kleine 7 lange   8 gutes

3 2 ein rotes Auto!   3 eine kleine Wohnung!   4 schöne Stühle!   5 einen großen Garten!   6 einen interessanten Job!

4 2 schwarzen   3 kleine   4 kleine   5 buntes 6 großen

5 2 ein rotes Hemd? rote Hemden.   3 eine kurze Hose? kurze Hosen.   4 ein buntes Kleid? bunte Kleider. 5 einen blauen Anzug? blaue Anzüge.   6 einen großen Tisch? große Tische.   7 eine kurze Jacke? kurze Jacken.

6 *Beispiellösung:* einen schicken Anzug, einen neuen Laptop, ein spannendes Buch

33 Ich spreche mit einem alten Freund.

A Mit einem <u>alten</u> Freund.

B alten

1 netten   sympathischen   guten

2 3 einem alten Freund.   4 einer kleinen Stadt. 5 einer schönen Wohnung.   6 guten Freunden. 7 einem kleinen Apartment.   8 einem alten Dorf. 9 einer netten Kollegin.   10 einer sonnigen Insel. 11 einem berühmten Ferienort.

3 (2) lustige   (3) kleinen   (4) gutes   (5) alten (6) große   (7) schöne   (8) weißen   (9) bequemen (10) tolle   (11) günstige   (12) gute   (13) aufregenden (14) neuen   (15) guter   (16) interessantes (17) internationalen   (18) viele   (19) blauen (20) weißen   (21) schönes   (22) gute

4 *Beispiellösung*: Ich spreche gerne mit interessanten Menschen. Ich spreche gerne mit einem fleißigen Studenten.

34 Das alte Haus ist schön.

A Die schwarze Bluse   der lange Rock

B lange   schwarze

1 ● das schöne Haus   ● die sympathische Kollegin
● die kleinen Autos   ● der alte Mann

2 das kleine Geschäft   die neue Bäckerei
die alten Bäume

3 2 Der neue Anzug   3 Die große Küche   4 Das schöne
Apartment   5 Die netten Leute   6 Die alten Häuser

4 3 Das rote Auto   4 Der große Park   5 Die schöne
Kirche   6 Die bunten Blusen   7 Das kleine Dorf
8 Der schwarze Anzug   9 Die blauen Fahrräder
10 Die italienischen Motorroller

5 2 die neue Wohnung   3 Der große Flohmarkt   4 die
frischen Brötchen   5 das italienische Restaurant
6 der große Spielplatz

6 *Beispiellösung*: die große Bibliothek, das spanische
Restaurant, das neue Kino

35 Ich mag die neuen Nachbarn.

A das neue Smartphone

B neue

1 kleinen   alte, neue   große, alte   schönen, großen

2 2 Wir mögen das alte Rathaus. Wir mögen das neue
Rathaus.   3 Er liebt die alte Kirche. Er liebt die neue
Kirche.   4 Sie mag die großen Bäume. Sie mag die
kleinen Bäume.

3 2 das kleine Haus   3 den schwarzen Pullover   4 die
lange Kette   5 die schwarzen Stiefel   6 den neuen
Wagen   7 das weiße Hemd   8 den großen Garten
9 die graue Krawatte   10 die alten Bücher

4 2 richtige   3 netten   4 jungen   5 langen   6 müden
7 neue   8 nasse

5 (2) harte Arbeit   (3) schönen Dinge   (4) große Stadt
(5) große Glück   (6) aufregende Leben   (7) leckere
Essen   (8) guten Wein   (9) großen Museen   (10) gute
Leben

6 *Beispiellösung*: Ich mag die frische Luft auf dem Dorf.
Ich mag das leckere Essen in der Türkei. Ich mag die
interessanten Gespräche in der Uni.

36 Ich helfe der netten Dame.

A Ich arbeite gerne mit dem neuen Kollegen.

B neuen

1 2 Das Büro ist alt.   3 Die Kollegin ist jung.
4 Die Mitarbeiter sind fleißig.

2 2b Sie sitzt immer noch in dem alten Büro.
3a Alle helfen der jungen Kollegin.   4c Der Chef
dankt den fleißigen Mitarbeitern.

3 2 mit dem kostenlosen Bankkonto   3 mit der großen
Tasche   4 mit den italienischen Schuhen

4 2 mit der großen Tiefgarage?   3 mit den schwarzen
Katzen?   4 mit dem frischen Obst?

5 2 dem kleinen Mädchen   3 dem jungen Mann
4 der neuen Kollegin   5 der netten Nachbarin

6 2 günstigen   3 richtigen   4 letzte   5 chinesischen
6 alten   7 neue   8 kleinen, neue   9 kleine

7 *Beispiellösung*: Auto: Mit dem neuen Auto bin ich
zufrieden. Smartphone: Mit dem neuen Smartphone
bin ich sehr zufrieden.

37 Ich sitze neben den Büchern.

A auf dem Papier.   neben den Büchern.

1 zwischen   hinter   neben   unter   an   in   vor
über

2 2 am   3 im   4 im

3 2 Auf dem   3 Im   4 In der   5 In der   6 In   7 Im

4 2 an der   3 in der, über dem   4 auf dem   5 zwischen
dem, dem   6 unter der   7 hinter der   8 vor dem

5 (2) im   (3) unter   (4) vor   (5) neben   (6) In   (7) über
(8) auf

6 *Beispiellösung*: Die Couch steht an der Wand. Der
Teppich ist unter dem Tisch. Das Bild hängt über der
Couch.

38 Der Vogel fliegt über den Baum.

A B Der Vogel fliegt über den Baum.

1 2 ins   3 ans   4 ins

2 hat ... gestellt, liegen, hat ... gelegt

3 2 Wo?   3 Wo?   4 Wohin?   5 Wohin?

4 2 der   3 dem   4 das   5 den   6 dem   7 den   8 dem

5 1 am   2 in der, in die   3 auf dem, auf den   4 vor dem,
hinter das   5 auf den   6 über den, über dem
7 vor der

6 *Beispiellösung*: Ich bin im Garten. Ich fahre in
die Stadt.

39 Ich komme vom Training.

A 1 B   2 A

B aus   vom

1 2 aus dem Büro.   3 aus der Wohnung.   4 aus dem Fitness-Studio.   5 aus der Arztpraxis.   6 aus dem Geschäft.   7 aus dem Stadtpark.   8 aus der Bäckerei.

2 2 vom Training.   3 vom Flughafen.   4 von der Schule. 5 vom Bahnhof.   6 von der Universität.   7 vom Deutschkurs.   8 vom Rathaus.

3 2 von Paris nach Madrid.   3 von München nach Frankfurt.   4 von Hongkong nach Tokio.

4 2 gegenüber der   3 gegenüber dem 4 gegenüber dem

5 (2) aus   (3) von ... nach   (4) gegenüber

6 *Beispiellösung:* Ich möchte gerne von München nach Augsburg mit dem Zug fahren.

40 Ich bin seit einem Jahr hier.

A Sandra, 31
Ich bin schon <u>seit</u> einem Jahr hier.
Yuna, 28
Ich bin Ärztin und ich bin <u>vor</u> zwei Jahren nach Berlin gekommen.

B seit einem Jahr   vor zwei Jahren

1 2 <u>Seit</u> wann hast du das Apartment?   a <u>Seit</u> einem Jahr.

3 Wann hast du den Test denn gemacht?   d <u>Vor</u> zwei Tagen.
Und er war nicht leicht.

4 Wann war der Termin?   c <u>Vor</u> einer Stunde. Ich habe ihn ganz vergessen.

2 Seit wann? Laura studiert seit einem Jahr.
Wann? Der Test war vor einer Stunde. Sie hat vor einem Monat geheiratet.

3 2 Seit   3 Vor   4 Seit   5 vor   6 Seit

4 2 Vor einem Monat.   3 Vor einer Stunde.   4 Seit einer Woche.   5 Vor einem Monat.   6 Seit einem Jahr.

5 (2) vor   (3) vor   (4) seit   (5) vor   (6) Seit   (7) seit

6 *Beispiellösung:* Ich habe vor einem Monat ein Auto gekauft. Ich bin seit einem Jahr in München. Ich habe seit zwei Jahren eine Katze.

41 Ich bleibe bis morgen.

A Ich bin <u>von</u> Montag, 2.3., <u>bis</u> Freitag, 6.3., nicht <u>im</u> Büro. <u>Ab</u> Montag, 9.3., können Sie mich wieder erreichen. <u>Mit</u> freundlichen Grüßen

B Ab   von ... bis

1 2 Wann gehen wir wieder joggen?
a <u>Ab</u> morgen wieder jeden Tag.

3 Wann hat denn die Praxis <u>von</u> Dr. Martin geöffnet?
d <u>Von</u> 8 <u>bis</u> 13 Uhr.

4 <u>Von</u> April <u>an</u> haben wir nur noch vier Stunden Deutsch pro Woche.
b Oh, schade! Das ist aber wenig!

2 2 E   3 B   4 B

3 2 Ab   3 bis   4 Ab   5 Bis   6 Ab

4 2 ohne Ende   3 mit Ende

5 2 bis   3 von   4 Von

6 (2) Von ... an   (3) Ab   (4) von ... bis   (5) bis

7 *Beispiellösung:* Ich muss bis Ende April arbeiten. Ich muss mich von Dienstag bis Freitag auf die Prüfung vorbereiten. Ich muss bis nächsten Dienstag einen Brief schreiben.

42 Ich warte schon über zwei Stunden.

A <u>Zum</u> Mittagessen   <u>Während</u>   des Fluges

B über   Zum

1 2 Die Fahrt dauert über eine Stunde.   3 Ich habe über drei Stunden auf ihn gewartet.   4 Unser Flugzeug startet über 15 Minuten später.

2 1 für, nach   2 im, für, nach   3 für, ins   4 im, für, nach
2 Ich fliege im Frühling für drei Wochen nach Spanien.
3 Swen geht jetzt für eine Stunde ins Büro.   4 Wir gehen im nächsten Jahr für einen Monat nach Peking.

3 2 Während der Arbeit   4 während des Spaziergangs

4 2 zum   3 zum   4 zur

5 2 in einem Jahr   3 in einem Monat

6 (2) zum   (3) In   (4) zum   (5) während

7 *Beispiellösung:* Im Mai fliege ich für zwei Wochen nach Spanien. In einer Stunde treffe ich mich mit meiner Freundin zum Mittagessen.

43 Der Tisch ist aus Glas.

A Der Tisch ist <u>aus</u> Glas. Aber er ist nur <u>für</u> vier Personen. Und <u>ohne</u> die Stühle sieht er nicht so gut aus.

B aus   für   Ohne

1 2 <u>aus</u> Papier, das Buch   3 <u>aus</u> Plastik oder <u>aus</u> Papier, die Tüte   4 <u>aus</u> Glas, die Lampe

2 2 Das Haus ist komplett <u>aus</u> Holz.   Material
3 Sie geht um acht Uhr <u>aus</u> dem Haus.   Ort

3 2 für deinen Vater   3 für dich   4 für meine Frau und mich

4 2 Ein Flugticket für meine Reise nach Mallorca. 3 Eine Lampe für mein Büro.   4 Eine Mikrowelle für meine Küche.   5 Einen Drucker für meinen Computer.

5 2a 3c

6 (2) ohne   (3) mit   (4) mit   (5) mit   (6) mit

7 *Beispiellösung:* Ich trinke Tee ohne Zucker, aber ich trinke Kaffee mit Zucker.

44 Heute gehe ich in den Deutschkurs.

A Ich gehe heute in den Deutschkurs.
Ja, heute gehe ich auch in den Deutschkurs.

B Ich   ich

1

	2		Ende
2 Ich	arbeite		im Team.
3 Ich	berate		die Kunden.

2

	2		Ende
2 Oft	arbeite	ich	im Team.
3 Meistens	berate	ich	die Kunden.

3

	2		Ende
2 Bei Elektrik-Markt	habe	ich	im Team	gearbeitet.
3 Bei Elektrik-Markt	habe	ich	die Kunden	beraten.

4

	2		Ende
2 Bei Elektrik-Markt	muss	ich	im Team	arbeiten.
3 Bei Elektrik-Markt	muss	ich	die Kunden	beraten.

5 2 Ich mache sofort die Heizung an.   3 Ich räume die Wohnung sofort auf.   4 Ich hole die Kinder sofort ab.

6 2 Hast du die Texte gelesen?   3 Hast du die Hausaufgaben gemacht?   4 Hast du die Übung verstanden?   5 Hast du die Grammatik wiederholt?

7 *Beispiellösung:* Hast du eine Präsentation vorbereitet? Habt ihr alle Übungen kontrolliert?

45 Ich lerne Deutsch, weil es Spaß macht.

A Ich lerne Deutsch, …
… weil mir deutsche Bücher gefallen.
… weil es wichtig für den Job und die Karriere ist.
… weil Deutschland, Österreich und die Schweiz so schöne Länder sind.
… weil es Spaß macht.

B weil

1 Ich komme nicht, weil ich gleich einen Termin habe. Warum lernst du denn Deutsch?   Ich lerne Deutsch, weil es Spaß macht.

2 2 brauche   3 ist

3 2a Sie hat ihre Freundin lange nicht gesehen.
3d Das Flugzeug hat Verspätung.
4c Sie hat Durst.

4 Sie freut sich, weil sie ihre Freundin lange nicht gesehen hat.   Sie muss lange warten, weil das Flugzeug Verspätung hat.   Sie geht ins Café und trinkt eine Cola, weil sie Durst hat.

5 2 weil es heute regnet.   3 weil mein Job langweilig ist.   4 weil ich so spät ins Bett gegangen bin.   5 weil ich heute keine Arbeit habe.   6 weil es hier so schön warm ist.

6 2 weil seine Freundin aus Japan kommt.   3 weil Deutsch wichtig ist.   4 weil ich Geld brauche.   5 weil es schon wieder regnet.

7 *Beispiellösung:* Ich lerne Deutsch, weil ich in Deutschland arbeiten möchte.

46 Wir nehmen den Zug, wenn es schneit.

A 2C Sie nimmt das Fahrrad, wenn sie Zeit hat.
3A Wir nehmen den Zug, wenn es schneit.

B wenn   wenn

1 2a Ich komme, wenn ich nicht arbeiten muss.
3b Sie können sie machen, wenn der Kurs zu Ende ist.
4c Fragt bitte, wenn ihr etwas nicht versteht!
5d Ja, wir können es kaufen, wenn ich den Job habe.

2 2 haben   3 stellt   4 verstehen   5 gibt

3 2 wenn ich müde bin.   3 wenn ich Durst habe.
4 wenn die Sonne scheint.

4 2 wenn die Handtücher schmutzig sind.   3 wenn das
Restaurant im Hotel geschlossen ist.

5 2 Ich lese gerne, wenn ich im Urlaub bin.   3 Ich bin
sehr müde, wenn ich zu viel arbeite.   4 Ich habe
Kopfweh, wenn ich Vokabeln lerne.   5 Es geht mir
gut, wenn ich viel Sport mache.

6 *Beispiellösung:* Ich bin traurig, wenn ich die
Prüfung nicht bestehe. Ich freue mich, wenn ich ein
Geschenk bekomme.

47 Es tut mir leid, dass ich zu spät komme.

A Ja, es ist wichtig, <u>dass</u> Sie gut Deutsch <u>sprechen</u>.
Es ist wichtig, <u>dass</u> ihr die Wörter <u>lernt</u>.   Ich freue
mich, <u>dass</u> ich Sie <u>treffe</u>.

B dass   dass

1 2c Ich freue mich, <u>dass</u> du hier <u>bist</u>.
3a Es tut mir leid, <u>dass</u> du kein Glück <u>hast</u>.
4e Ja. Ich hoffe, <u>dass</u> er <u>kommt</u>.
5b Schade, <u>dass</u> du nicht <u>kommen</u> <u>kannst</u>.

2 2 Ich hoffe   3 Es ist wichtig   4 Es tut mir leid

3 *Beispiellösung:* Ich freue mich, dass Emma viel Geld
verdient. Ich finde es gut, dass Frau Decker Englisch
lernt. Ich bin froh, dass Steffie einen guten Job hat.
Schön, dass Karen die neue Wohnung gefällt.

4 2 Sie sagt, dass der Deutschkurs Spaß macht.   3 Sie
sagt, dass die Grammatik nicht schwer ist.   4 Sie
sagt, dass morgen der Kurs schon um 18 Uhr beginnt.

5 2 dass ich keine Zeit habe.   3 dass das Wetter so
schlecht ist.   4 dass Carl so viel Pech hat.

6 *Beispiellösung:* Schön, dass du wieder gesund bist.
Schade, dass du heute nicht auf die Party kommen
kannst.

48 Weißt du, was das ist?

A Kannst du mir sagen, wer das <u>ist</u>? Ja, das <u>ist</u> unser
neuer Nachbar.

B ist

1 2 möchte   3 Können / Könnten   4 Kannst / Könntest
5 Weißt   6 Wisst

2 2 Wissen Sie vielleicht, wie der neue Chef heißt?
3 Ich möchte gerne mal wissen, wann wir das Treffen
haben.   4 Sagt mir doch bitte mal, woher Lisas
Familie kommt?   5 Wisst ihr, wen die Chefin heute
sprechen möchte?   6 Könntest du uns bitte sagen,
wer die Idee hatte?

3 2 wo der Kunde jetzt ist?   3 wem du das verkaufst.
4 wann wir liefern können?   5 wie viele Menschen
hier arbeiten?   6 wohin Sie die Produkte liefern.
7 woher die Ware kommt?

4 2 Sagen Sie uns bitte, wo Sie gearbeitet haben.
3 Sagen Sie uns bitte, wo Sie wohnen.   4 Wir möchten
gerne wissen, wann Sie anfangen können.   5 Sagen
Sie uns bitte, wie viel Sie jetzt verdienen.   6 Wir
möchten gerne wissen, woher Sie unsere Firma
kennen.

5 *Beispiellösung:* Ich möchte gerne wissen, was du
essen möchtest. Ich möchte gerne wissen, was du in
deiner Freizeit machst. Kannst du mir sagen, wann du
Urlaub hast?

49 Es regnet, deshalb nehme ich den Schirm mit.

A Ich arbeite noch, <u>deshalb</u> <u>komme</u> ich später.
Es regnet, <u>deshalb</u> <u>nehme</u> ich den Schirm <u>mit</u>.

B deshalb

1 denn   und   aber   oder

H	C	(D	U	U)
N	(D	E	N	N)
(O	T	S	M	D)
(D	X	H	S	X
(E	N	A	C	T
(R	C	(L	H	N
I	(A	B	E	R)

2 2c 3e 4h 5d 6a 7b 8g

3 2 deshalb macht er Urlaub in England.   3 deshalb
suchen wir ein Haus mit Garten.   4 deshalb
bekommen wir einen neuen Lehrer.   5 deshalb lasse
ich es reparieren.   6 deshalb kauft sie E-Books im
Internet.   7 deshalb brauchen wir viele Videos.
8 deshalb planen wir eine Party.

4 3 deshalb   4 Weil   5 Deshalb   6 Weil   7 deshalb
8 Weil

5 *Beispiellösung:* Ich will in Deutschland studieren,
deshalb lerne ich Deutsch. Meine Freunde kommen
heute Abend zu Besuch, deshalb gehe ich einkaufen.

50 Ich koche, dann gehen wir ins Kino.

A Ich koche erst, <u>dann</u> <u>gehen</u> wir ins Kino.   Wir machen
erst Aufgabe 1, <u>dann</u> <u>lesen</u> wir den Text.

B dann

1 2c <u>dann nimmt</u> sie den Bus.
3e <u>dann macht</u> sie Pause.
4b <u>dann trifft</u> sie eine Freundin.
5a <u>dann geht</u> sie ins Bett und schläft.

2

		2		
2 Erst lesen wir die Geschichte,	dann	stellt	die Lehrerin	Fragen.
3 Erst hören wie den Dialog,	dann	sprechen	wir	nach.
4 Erst machen wir die Übungen,	dann	prüfen	wir	sie.
5 Erst lesen wir die Fragen,	dann	sehen	wir	den Film.

3 (2) dann (3) deshalb (4) dann

4 2 dann 3 dann 4 denn 5 dann 6 dann 7 denn
8 dann 9 dann 10 dann

5 *Beispiellösung:* ... arbeite ich bis 13 Uhr, dann mache
ich Mittagspause. Um 18 Uhr komme ich nach Hause,
dann koche und esse ich. Ich lese später, dann gehe
ich ins Bett.

51 Doch, aber ich habe keinen Hunger.

A Schmeckt euch das Essen <u>nicht</u>?   Nein, es ist mir zu
scharf.   <u>Doch</u>, aber ich habe keinen Hunger mehr.

B Doch

1 2 ☹ 3 ☹

2 2b Kommst du <u>nicht</u> zur Party? <u>Doch</u>, ich möchte mal
wieder tanzen.
3a Kommst du <u>nicht</u> ins Fitness-Studio? <u>Doch</u>,
ich muss dringend wieder trainieren.
4d Hast du <u>kein</u> Auto? <u>Doch</u>, es steht in der Garage.

3 2 Doch 3 Doch 4 Ja 5 Doch 6 Ja

4 2d 3b 4c 5f 6a

5 2 doch 3 ja 4 doch 5 ja 6 nein

6 2 Kommst du mit ins Restaurant Roma? Nein.   3 Hast
du keine Lust auf Italienisch? Doch.   4 Gehst du
nicht gerne ins Restaurant Roma? Nein.

7 *Beispiellösung:* Trinkst du keinen Kaffee? – Doch, ich
trinke Kaffee. Kommst du heute nicht mit ins Kino? –
Nein, denn ich bin krank.

52 Erzählen Sie mal!

A Erzählen Sie bitte <u>mal</u>! Was machen Sie <u>denn</u> so?

B mal   denn

1 2 Kommt <u>mal</u> bitte nach vorne!
3 Lies <u>mal</u> bitte den Text!
4 Jetzt bilden Sie <u>mal</u> Gruppen!
6 Wer hat <u>denn</u> die Übung gemacht?
7 Warum sagst du <u>denn</u> nichts, Lisa?
8 Haben wir <u>denn</u> keine Zeit mehr?

2 2 Steh ↓ bitte ↓ auf!
3 Kommen Sie ↓ bitte ↓ rein!
4 Machen Sie ↓ bitte ↓ das Licht ↓ aus!
5 Macht ↓ bitte ↓ die Fenster ↓ zu!
6 Komm ↓ bitte ↓ her!

3 2 Erzählen Sie mal bitte etwas über sich! / Erzählen
Sie bitte mal etwas über sich!   3 Sagen Sie mal bitte,
woher Sie kommen! / Sagen Sie bitte mal, woher Sie
kommen!   4 Lesen Sie mal bitte unsere Webseite! /
Lesen Sie bitte mal unsere Webseite!

4 2c Haben Sie die Schuhe denn auch in Schwarz ?
3d Was machst du denn ?
4a Bist du denn schon müde?

5 2 Wo arbeiten Sie denn?   3 Haben Sie denn Kinder?
4 Wohin möchten Sie denn?   5 Kommen Sie denn in
den Kurs?

6 2 denn 3 denn 4 mal 5 mal 6 denn 7 mal
8 mal 9 denn 10 denn

7 *Beispiellösung:* Chefin: Schicken Sie mir mal bitte
Ihren Terminplan.   Lehrer: Machen Sie mal bitte die
Aufgaben zwei und drei zu Hause.

53 Der Regenschirm

A Regenschirm   Apfelbaum

B der das das die die

1 2 das Stadtfest   3 der Bergsee   4 der Fotoapparat
5 das Theaterstück   6 das Musikinstrument   7 die
Postkarte   8 der Gartenstuhl

2 2 das Käsebrötchen   3 der Milchkaffee
4 die Gemüsesuppe   5 der Tomatensaft
6 das Bananeneis   7 das Butterbrot   8 der Obstsalat

3 der Kartoffelsalat, das Weinglas, die Speisekarte,
die Kaffeetasse, die Hähnchensuppe, die Fischsuppe,
die Wasserflasche, das Bierglas, die Tomatensuppe,
das Kaffeeeis, die Getränkekarte, die Getränkeflasche,
die Kartoffelsuppe, die Weinkarte, das Speiseeis,
der Hähnchensalat, die Fischkarte, der Fischsalat,
das Wasserglas, die Bierflasche, der Tomatensalat

4 2 das Lehrerzimmer   3 die Wörterliste   4 das
Wörterbuch

5 2 Hausnummern   3 Busbahnhöfe   4 Modemessen

6 *Beispiellösung:* der Bücherschrank, der Kleider-
schrank, der Holzschrank, die Schranktür
das Reisebüro, der Reiseführer, die Reisetasche,
die Weltreise
der Augenarzt, der Ohrenarzt, der Kinderarzt,
die Arztpraxis

54 Mein Freund und meine beste Freundin

A Gestern haben sich mein Freund und meine beste
Freund<u>in</u> kennengelernt. Sie sind beide Lehr<u>er</u>. Sie ist
Yogalehrer<u>in</u> und er ist Lehr<u>er</u> an einer Schule.
Ich bin froh, dass sie sich sympathisch finden.

B Freundin   sympathisch

1 2 Kollegin   3 Französin

2 2 die Übernachtung   3 die Wohnung

3 1 Übernachtung   2 Wohnung   3 Reinigung

4 2 der Fahrer   3 der Gewinner

5 1 Fahrer   2 Gewinner   3 Spieler

6 2 unbeliebt   3 unpünktlich   4 unsicher

7 2 freundlich   3 sympathisch   4 unfreundlich

8 *Beispiellösung:* Meine Studenten sind immer
unpünktlich. Meine Kolleginnen sind sehr freundlich.
Mein Bruder ist gerade sehr unglücklich.

Grammatikübersicht

1 Unregelmäßige Verben

Infinitiv	Präsens	Präteritum	Perfekt
abfahren	fährt ab	fuhr ab	ist abgefahren
abfliegen	fliegt ab	flog ab	ist abgeflogen
abgeben	gibt ab	gab ab	hat abgegeben
abschließen	schließt ab	schloss ab	hat abgeschlossen
anbieten	bietet an	bot an	hat angeboten
anfangen	fängt an	fing an	hat angefangen
ankommen	kommt an	kam an	ist angekommen
anrufen	ruft an	rief an	hat angerufen
ansehen	sieht an	sah an	hat angesehen
(sich) anziehen	zieht (sich) an	zog (sich) an	hat (sich) angezogen
aufstehen	steht auf	stand auf	ist aufgestanden
ausgeben	gibt aus	gab aus	hat ausgegeben
ausgehen	geht aus	ging aus	ist ausgegangen
aussehen	sieht aus	sah aus	hat ausgesehen
aussprechen	spricht aus	sprach aus	hat ausgesprochen
aussteigen	steigt aus	stieg aus	ist ausgestiegen
austragen	trägt aus	trug aus	hat ausgetragen
(sich) ausziehen	zieht (sich) aus	zog (sich) aus	hat (sich) ausgezogen
backen	backt / bäckt	backte / buk (veraltet)	hat gebacken
beginnen	beginnt	begann	hat begonnen
bekommen	bekommt	bekam	hat bekommen
beraten	berät	beriet	hat beraten
beschreiben	beschreibt	beschrieb	hat beschrieben
bestehen	besteht	bestand	hat bestanden
sich bewerben	bewirbt sich	bewarb sich	hat sich beworben
bitten	bittet	bat	hat gebeten
bleiben	bleibt	blieb	ist geblieben
braten	brät	briet	hat gebraten
bringen	bringt	brachte	hat gebracht
denken	denkt	dachte	hat gedacht
dürfen	darf	durfte	hat gedurft
einladen	lädt ein	lud ein	hat eingeladen
einschlafen	schläft ein	schlief ein	ist eingeschlafen
einsteigen	steigt ein	stieg ein	ist eingestiegen
eintragen	trägt ein	trug ein	hat eingetragen
einziehen	zieht ein	zog ein	ist eingezogen
empfehlen	empfiehlt	empfahl	hat empfohlen
essen	isst	aß	hat gegessen
fahren	fährt	fuhr	ist gefahren
fallen	fällt	fiel	ist gefallen
fernsehen	sieht fern	sah fern	hat ferngesehen
finden	findet	fand	hat gefunden
fliegen	fliegt	flog	ist geflogen

Infinitiv	Präsens	Präteritum	Perfekt
geben	gibt	gab	hat gegeben
gefallen	gefällt	gefiel	hat gefallen
gehen	geht	ging	ist gegangen
gewinnen	gewinnt	gewann	hat gewonnen
haben	hat	hatte	hat gehabt
halten	hält	hielt	hat gehalten
hängen	hängt	hing	hat gehangen
heißen	heißt	hieß	hat geheißen
helfen	hilft	half	hat geholfen
(he)rausbringen	bringt (he)raus	brachte (he)raus	hat (he)rausgebracht
(he)rauskommen	kommt (he)raus	kam (he)raus	ist (he)rausgekommen
(he)reinkommen	kommt (he)rein	kam (he)rein	ist (he)reingekommen
herkommen	kommt her	kam her	ist hergekommen
herunterladen	lädt herunter	lud herunter	hat heruntergeladen
hineingehen	geht hinein	ging hinein	ist hineingegangen
hinausgehen	geht hinaus	ging hinaus	ist hinausgegangen
kennen	kennt	kannte	hat gekannt
kommen	kommt	kam	ist gekommen
können	kann	konnte	hat gekonnt
lassen	lässt	ließ	hat gelassen
laufen	läuft	lief	ist gelaufen
leidtun	tut leid	tat leid	hat leidgetan
leihen	leiht	lieh	hat geliehen
lesen	liest	las	hat gelesen
liegen	liegt	lag	hat gelegen
lügen	lügt	log	hat gelogen
mitbringen	bringt mit	brachte mit	hat mitgebracht
mitkommen	kommt mit	kam mit	ist mitgekommen
mitnehmen	nimmt mit	nahm mit	hat mitgenommen
möchten	möchte	mochte	hat gemocht
mögen	mag	mochte	hat gemocht
müssen	muss	musste	hat gemusst
nehmen	nimmt	nahm	hat genommen
nennen	nennt	nannte	hat genannt
raten	rät	riet	hat geraten
reiten	reitet	ritt	ist geritten
riechen	riecht	roch	hat gerochen
rufen	ruft	rief	hat gerufen
scheinen	scheint	schien	hat geschienen
schlafen	schläft	schlief	hat geschlafen
schließen	schließt	schloss	hat geschlossen
schneiden	schneidet	schnitt	hat geschnitten
schreiben	schreibt	schrieb	hat geschrieben
schwimmen	schwimmt	schwamm	ist geschwommen

Infinitiv	Präsens	Präteritum	Perfekt
sehen	sieht	sah	hat gesehen
sein	ist	war	ist gewesen
singen	singt	sang	hat gesungen
sitzen	sitzt	saß	hat gesessen
sollen	soll	sollte	hat gesollt
sprechen	spricht	sprach	hat gesprochen
stattfinden	findet statt	fand statt	hat stattgefunden
stehen	steht	stand	hat gestanden
sterben	stirbt	starb	ist gestorben
streiten	streitet	stritt	hat gestritten
teilnehmen	nimmt teil	nahm teil	hat teilgenommen
tragen	trägt	trug	hat getragen
(sich) treffen	trifft (sich)	traf (sich)	hat (sich) getroffen
trinken	trinkt	trank	hat getrunken
tun	tut	tat	hat getan
überweisen	überweist	überwies	hat überwiesen
umsteigen	steigt um	stieg um	ist umgestiegen
umziehen	zieht um	zog um	ist umgezogen
(sich) unterhalten	unterhält (sich)	unterhielt (sich)	hat (sich) unterhalten
unternehmen	unternimmt	unternahm	hat unternommen
unterschreiben	unterschreibt	unterschrieb	hat unterschrieben
vergessen	vergisst	vergaß	hat vergessen
vergleichen	vergleicht	verglich	hat verglichen
verlieren	verliert	verlor	hat verloren
verschieben	verschiebt	verschob	hat verschoben
verstehen	versteht	verstand	hat verstanden
(sich) waschen	wäscht (sich)	wusch (sich)	hat (sich) gewaschen
wegbringen	bringt weg	brachte weg	hat weggebracht
wegfahren	fährt weg	fuhr weg	ist weggefahren
weggehen	geht weg	ging weg	ist weggegangen
weglaufen	läuft weg	lief weg	ist weggelaufen
wegnehmen	nimmt weg	nahm weg	hat weggenommen
wegwerfen	wirft weg	warf weg	hat weggeworfen
wehtun	tut weh	tat weh	hat wehgetan
weiterhelfen	hilft weiter	half weiter	hat weitergeholfen
werden	wird	wurde	ist geworden
wissen	weiß	wusste	hat gewusst
wollen	will	wollte	hat gewollt
zurückfahren	fährt zurück	fuhr zurück	ist zurückgefahren
zurückgeben	gibt zurück	gab zurück	hat zurückgegeben
zurückgehen	geht zurück	ging zurück	ist zurückgegangen
zurückkommen	kommt zurück	kam zurück	ist zurückgekommen
zurücklaufen	läuft zurück	lief zurück	ist zurückgelaufen

2 Verben mit Dativ

Verb	Beispiel
antworten	Sie antwortet dem Freund.
danken	Ich danke dir sehr.
geben	Bitte gib mir das!
gefallen	Die Bluse gefällt mir sehr.
gehen	Wie geht es dir?
gehören	Das Handy gehört meinem Freund.
glauben	Wir glauben ihm.
gratulieren	Er gratuliert seiner Frau.
helfen	Wir helfen dem Großvater im Garten.
leidtun	Es tut mir leid.
passen	Die Hose passt ihm.
passieren	Mir passiert bestimmt nichts.
raten	Ich rate dir, ein neues Handy zu kaufen.
schmecken	Die Pizza schmeckt meinem Kind nicht.
stehen	Das Kleid steht dir gut.
wehtun	Ich will dir nicht wehtun.
zuhören	Hör mir doch mal zu!

3 Verben mit Dativ und Akkusativ

Verb	Beispiel
anbieten	Darf ich dir ein Stück Kuchen anbieten?
bestellen	Bitte bestell uns einen Nachtisch!
bringen	Bitte bringen Sie mir einen Kaffee!
empfehlen	Ich empfehle Ihnen dieses Restaurant.
erklären	Wir haben ihm den Weg erklärt.
erzählen	Erzählst du mir eine Geschichte?
geben	Kannst du mir mal dein Buch geben?
holen	Er holt uns den Kaffee.
kaufen	Wir kaufen unserer Tochter einen Laptop.
kochen	Kochst du mir bitte ein Ei?
leihen	Er hat ihr einen Regenschirm geliehen.
liefern	Wir liefern Ihnen den Schrank.
mitbringen	Bringst du mir bitte auch eine Pizza mit?
reparieren	Die Werkstatt repariert Ihnen das Auto.
reservieren	Ich reserviere uns einen Tisch.
sagen	Er sagt es ihr morgen.
schenken	Ich schenke meiner Freundin ein Buch.
schicken	Bitte schicken Sie mir eine E-Mail.
schneiden	Wer schneidet dir denn die Haare?
schreiben	Ich habe ihm gerade eine E-Mail geschrieben.
verkaufen	Er hat ihm ein Auto mit Navi verkauft.
wünschen	Er wünscht dir alles Gute.
zeigen	Mein Mann zeigt dem Jungen den Weg.

4 Trennbare Verben

Verb	Partizip Perfekt	Beispiel
abfahren	abgefahren	Wir fahren um ein Uhr ab.
abfliegen	abgeflogen	Wann fliegst du ab?
abgeben	abgegeben	Ich gebe das Buch heute ab.
abholen	abgeholt	Wir holen dich ab.
abschließen	abgeschlossen	Ich schließe dieses Jahr meine Ausbildung ab.
anbieten	angeboten	Ich biete ihr einen Kaffee an.
anfangen	angefangen	Der Deutschkurs fängt gleich an.
anklicken	angeklickt	Klick bitte mal das Bild an!
ankommen	angekommen	Wann kommt der Zug in München an?
ankreuzen	angekreuzt	Kreuzt bitte die Lösung an!
anmachen	angemacht	Mach bitte das Licht an!
(sich) anmelden	sich angemeldet	Sie meldet sich morgen für den Deutschkurs an.
anrufen	angerufen	Er ruft seine Mutter an.
ansehen	angesehen	Ich sehe mir diese Sendung jeden Tag an.
(sich) anziehen	angezogen	Sie zieht Jeans und T-Shirt an.
aufhören	aufgehört	Der Kurs hört morgen auf.
aufmachen	aufgemacht	Mach bitte das Fenster auf!
aufpassen	aufgepasst	Der Babysitter passt auf die Kinder auf.
aufräumen	aufgeräumt	Ich räume mein Zimmer auf.
aufstehen	aufgestanden	Wir stehen immer um sieben auf.
ausfüllen	ausgefüllt	Füllen Sie bitte das Formular aus.
ausgeben	ausgegeben	Tim gibt viel Geld aus.
ausgehen	ausgegangen	Gehen wir am Samstag zusammen aus?
ausmachen	ausgemacht	Mach bitte das Licht aus!
auspacken	ausgepackt	Packst du bitte den Koffer aus?
(sich) ausruhen	ausgeruht	Ruh dich erst einmal aus!
aussehen	ausgesehen	Das sieht gut aus.
aussprechen	ausgesprochen	Wie spricht man das aus?
aussteigen	ausgestiegen	Sie steigt am Goetheplatz aus.
austauschen	ausgetauscht	Wir tauschen die Adressen aus.
austragen	ausgetragen	Er trägt einmal pro Woche die Zeitung aus.
(sich) ausziehen	(sich) ausgezogen	Sie zieht die Schuhe aus.
einkaufen	eingekauft	Was kaufst du heute ein?
einladen	eingeladen	Ich lade meine Freunde ein.
einpacken	eingepackt	Pack bitte die Pullover ein!
einschlafen	eingeschlafen	Er schläft oft vor dem Fernseher ein.
einsteigen	eingestiegen	Sie steigt hier ein.
eintragen	eingetragen	Tragen Sie sich bitte in diese Liste ein!
einziehen	eingezogen	Die neuen Nachbarn ziehen bald ein.
fernsehen	ferngesehen	Wir sehen heute Abend mal fern.
(he)rausbringen	herausgebracht	Bitte bring den Müll raus!

Verb	Partizip Perfekt	Beispiel
(he)rauskommen	herausgekommen	Kommt ihr bitte heraus?
(he)reinkommen	hereingekommen	Kommen Sie bitte rein!
herkommen	hergekommen	Komm bitte mal her!
herstellen	hergestellt	In der Firma stellen wir Tische her.
herunterladen	heruntergeladen	Er lädt die Software gleich herunter.
hineingehen	hineingegangen	Ich gehe jetzt da hinein.
hinausgehen	hinausgegangen	Er geht in den Garten hinaus.
kennenlernen	kennengelernt	Wir lernen hier viele Leute kennen.
leidtun	leidgetan	Es tut mir sehr leid.
mitbringen	mitgebracht	Ich bringe dir einen Kaffee mit.
mitkommen	mitgekommen	Kommst du auch mit?
mitmachen	mitgemacht	Warum macht ihr nicht mit?
mitnehmen	mitgenommen	Nehmen wir meine Schwester ins Theater mit?
mitspielen	mitgespielt	Warum spielt ihr nicht mit?
stattfinden	stattgefunden	Das Spiel findet leider nicht statt.
teilnehmen	teilgenommen	Sie nimmt am Deutschkurs teil.
umsteigen	umgestiegen	Wir steigen in Köln um.
umziehen	umgezogen	Nächsten Monat ziehen wir um.
vorbereiten	vorbereitet	Und wer bereitet die Party vor?
vorstellen	vorgestellt	Stellen Sie sich bitte vor!
wegbringen	weggebracht	Bringst du bitte den Müll weg!
wegfahren	weggefahren	Sie fährt gleich weg.
weggehen	weggegangen	Ich gehe jetzt weg.
weglaufen	weggelaufen	Bitte lauf nicht weg!
wegmachen	weggemacht	Ich mache den Dreck nicht weg.
wegnehmen	weggenommen	Warum hast du mir den Apfel weggenommen?
wegwerfen	weggeworfen	Bitte werfen Sie die Papiere nicht weg.
wehtun	wehgetan	Wo tut es weh?
weiterhelfen	weitergeholfen	Das hilft mir weiter.
weitermachen	weitergemacht	Machst du bitte weiter?
zuhören	zugehört	Hör mir doch mal bitte zu!
zumachen	zugemacht	Mach bitte das Fenster zu!
zurückfahren	zurückgefahren	Wann fahrt ihr zurück?
zurückgeben	zurückgegeben	Bitte geben Sie den Schlüssel zurück.
zurückgehen	zurückgegangen	Wir gehen wieder zurück.
zurückkommen	zurückgekommen	Wann kommst du zurück?
zurücklaufen	zurückgelaufen	Ich nehme kein Taxi, ich laufe lieber zurück.

5 Verben + Präposition + Akkusativ

Verb	Beispiel
sich ärgern über	Sie ärgert sich über die Rechnung.
antworten auf	Sie antwortet auf seine E-Mail.
aufpassen auf	Ich passe auf die Kinder auf.
ausgeben für	Muss er denn sein ganzes Geld für Autos ausgeben?
sich bedanken für	Ich bedanke mich für Ihre Hilfe.
berichten über	Die Zeitungen berichten über den Unfall.
sich beschweren über	Wir beschweren uns über den Service.
sich bewerben um	Er bewirbt sich um die Stelle.
bitten um	Darf ich dich um deine Hilfe bitten?
danken für	Ich danke Ihnen für Ihre Hilfe.
denken an	Sie denkt oft an ihn.
sich erinnern an	Erinnerst du dich an ihn?
sich freuen auf	Sie freut sich auf die Zusammenarbeit.
sich informieren über	Hast du dich über den Test informiert?
sich interessieren für	Er interessiert sich sehr für den Film.
sich kümmern um	Ich kümmere mich um meinen kranken Vater.
lachen über	Wir haben über den Witz gelacht.
reden über	Wir haben viel über dich geredet.
sich vorbereiten auf	Ich muss mich auf die Prüfung vorbereiten.
warten auf	Auf wen warten Sie?

6 Verben + Präposition + Dativ

Verb	Beispiel
anfangen mit	Wir fangen mit dem Unterricht an.
Angst haben vor	Ich habe Angst vor großen Hunden.
aufhören mit	Wann hörst du mit der Arbeit auf?
bestehen aus	Der Test besteht aus einem Lesetext und einem Hörtext.
diskutieren mit	Sie diskutiert immer mit ihm.
einladen zu	Darf ich dich zu einem Kaffee einladen?
riechen nach	Hier riecht es nach Fisch.
sich entschuldigen bei	Er hat sich bei ihr entschuldigt.
sprechen mit	Wir sprechen heute mit dem Chef.
teilnehmen an	Ich nehme an dem Kurs teil.
telefonieren mit	Er telefoniert gerade mit ihr.
träumen von	Ich träume von einem Haus.
sich treffen mit	Er trifft sich mit ihr.
sich verabreden mit	Ich habe mich mit meiner Freundin verabredet.

Register

Quellenverzeichnis